Isabelle Rossignol

F comme garçon

Médium
l'école des loisirs
11, rue de Sèvres, Paris 6ᵉ

© 2007, l'école des loisirs, Paris
Loi n° 49.956 du 16 juillet 1949 sur les publications
destinées à la jeunesse : janvier 2007
Dépôt légal : janvier 2007
Imprimé en France par la Société Nouvelle Firmin-Didot
à Mesnil-sur-l'Estrée (80823)

ISBN 2-211-08355-3

Pour Geneviève Brisac,
à qui je dois tant

I

1

Ma tante m'a dit de pencher la tête au-dessus du lavabo. Puisqu'elle a ouvert le robinet, les gouttes qui coulent de mon nez sont éjectées sur les bords et, comme je ne peux jamais m'empêcher de comparer tout et n'importe quoi, je les regarde glisser le long du bac en pensant qu'elles ressemblent au chocolat fondu qui reste collé sur les casseroles, une fois qu'on l'a versé dans un saladier.

J'ai douze ans. Depuis hier, je saigne. Du nez. Du bas. Tout à côté de moi, qui me regarde, il y a ma grand-mère ; qui me tient la main, il y a Nina. Nina, ma cousine.

Une heure plus tôt, toutes les deux, on était à la foire. Dans ma culotte, j'avais mis une des serviettes hygiéniques que ma grand-mère m'avait achetées la veille. J'ai eu mes règles à 16 h 14, «à une heure où les magasins sont encore ouverts, on l'a échappé belle!» C'est mon oncle qui a dit ça, le père de Nina, et ma grand-mère a répondu du tac au tac que, en effet, le débarquement des Anglais, ça ne pouvait jamais se prévoir.

En général, quand ils se lancent dans leurs blagues de l'an quarante, je ne peux pas dire qu'ils me font particulièrement rire; mais là, qu'ils le fassent dans une circonstance pareille, j'ai trouvé que c'était vraiment nul. Le pire n'était pourtant pas encore arrivé: quand j'ai ouvert le paquet, j'ai découvert des serviettes grosses comme des couches. C'est vrai que je n'avais pas une expérience terrible en la matière, mais quand même! J'avais vu celles de ma mère et celles de la télé: des toutes mignonnes bien plates. Pendant un moment, je me suis demandé s'ils n'avaient pas décidé de me faire marcher et, du coup, je leur ai lancé un regard noir. Mais, comme ils n'ont pas eu l'air de réagir, l'idée que ma grand-mère ait pu se tromper et acheter des protections urinaires à la place de mes serviettes m'a effleuré l'esprit. Et puis, en observant mieux, j'ai lu sur l'emballage que, tout simplement, elle avait choisi la taille maxi; et je n'ai pas osé demander pourquoi.

Dans ma culotte et sous mon short, j'avais donc un gros paquet cotonneux qui me donnait l'impression de ne plus savoir marcher. Tous les cent mètres, je demandais à Nina de se mettre derrière moi pour me dire si oui ou non la serviette se voyait. En fait, si j'avais pu être franche, je lui aurais demandé qu'elle regarde devant, parce que j'avais surtout l'impression d'avoir un nouveau sexe, un comme celui des hommes.

Mais finalement, en montant dans le «navire volant», j'avais arrêté d'en parler : étant assise, personne ne pouvait plus rien voir et j'étais aussi impatiente que Nina de me balancer dans les airs. On s'était installées à l'arrière du bateau, là où on avait repéré qu'il montait le plus haut. C'est là que, après deux ou trois allers-retours, j'ai senti que quelque chose coulait de ma narine et tombait sur ma main.

Avant que j'aie eu le temps de comprendre ce que c'était, Nina avait déjà crié mon nom : «Zoé!» comme elle aurait crié : «Au secours!», et bien sûr ceux qui étaient à côté de nous l'avaient entendue et nous regardaient. Quand j'ai vu le sang, j'ai eu une peur horrible et j'ai failli crier bien plus fort que Nina. Mais, comme je déteste me faire remarquer, j'ai seulement pincé mon nez et, de la main où il n'y avait pas de sang, j'ai fait des petits signes pour dire: «OK, tout va bien!» à ceux qui regardaient encore. J'essayais aussi de ne pas tacher mon tee-shirt. J'essayais même de ne plus penser qu'à ça, alors que le temps ne passait pas et que Nina avait l'air encore plus maigre et plus fragile que d'habitude. Elle n'arrêtait pas de dire que c'était fou ce qui arrivait, et qu'elle voulait descendre et qu'elle allait s'évanouir. Si le navire ne s'était pas arrêté, je crois que c'est moi qui aurais été obligée de la prendre dans mes bras.

Mais, dès qu'on a posé le pied sur la terre ferme, comme par magie, elle a retrouvé ses forces. Au milieu d'une foule dingue, elle me tirait par la main. Moi, au fur et à mesure qu'on avançait, je sentais les gouttes de sang glisser à travers mes doigts et, forcément, elles devaient tomber sur le sol. Avec ma manie des comparaisons, je me sentais un peu comme le Petit Poucet et ses cailloux. Sauf que moi, je suis forte. Et ronde des pieds à la tête. Des cheveux aussi. Ils sont épais et frisés. Noirs comme ceux de Nina sont blonds. Dans un conte, je serais la méchante. Dans la vie, je fais tout pour ne pas l'être. Même si je le suis un peu. Parfois beaucoup. Par exemple lorsque

Nina m'énerve et que je la pousse. Par exemple lorsque…

Nina.

Nina, elle ressemble à une vierge. Elle a la peau si blanche qu'elle en est transparente. Si transparente qu'elle laisse apparaître ses os de cristal. Si elle dit un mensonge, on voit qu'elle le dit. Lorsqu'elle mange, elle prend des bouchées si minuscules qu'on croirait qu'elle ne mange pas. Ses yeux sont d'un bleu presque pénible à regarder tellement ils sont bleus.

Nina, mon idole.

Le sang n'en finit pas de couler. Ma grand-mère expérimente pourtant toutes les recettes qui portent son nom. De la vitrine où elle empile ses «trouvailles de brocante», comme elle les appelle, elle a rapporté une énorme clé en fer, sûrement une vieille clé de grange. Elle passe sa main sous mon tee-shirt, colle la clé contre mon dos et la tient ferme. Après un frisson, toujours penchée au-dessus du bac, je me mets à rire toute seule. Je me dis que, si mon dos était une porte et que ma grand-mère l'ouvrait, elle y découvrirait des secrets qui la feraient s'évanouir.

Mais mon dos ne dit rien et le sang ne s'arrête pas. Il coule devant mes yeux, rouge luisant. J'adore, sans le dire, fixer ce sang qui m'appartient. Si je suis faite de cette couleur velours, je m'aime. Si je suis capable d'avoir le sang couleur vin d'eucharistie, je ne suis peut-être pas totalement mauvaise.

À force, ma tante et ma grand-mère finissent quand même par s'inquiéter. Elles veulent appeler un médecin, appeler ma mère, une quantité de choses qui me font comprendre qu'il faut que je les rassure elles aussi. En me redressant un peu, je leur explique que je saigne souvent, au collège, chez moi, dans la rue. Je peux dire tous ces mensonges parce que ma peau n'est pas transparente. Faire comme si, j'en ai l'habitude. Là, je fais comme si je n'avais pas peur. Je joue à la fille décontractée et je raconte n'importe quoi. Je leur dis que je perds du sang pour que mamie puisse cuisiner son civet de lapin et que tout le monde se régale. Je leur dis que j'ai tellement de kilos en réserve que je peux saigner toute une nuit sans perdre un gramme. Mais je ne fais rire personne. Et surtout pas Nina.

Alors, j'arrête de parler. Je me concentre. Je serre

mes poings. Je contracte mon ventre. Je m'oblige à retenir le sang à l'intérieur de moi. Puisque ma tante et ma grand-mère ont finalement eu l'idée que je mette la tête en arrière, je le sens glisser et couler dans ma gorge. Quand je l'avale, ça me donne envie de vomir, mais, comme toujours, je résiste. Je ne suis pas une poule mouillée, une chochotte comme ma mère, qui ne pense qu'à se faire les ongles, se badigeonner de crèmes ou conseiller à d'autres qu'elles le fassent. Ma mère est es-thé-ti-cienne.

C'est elle, il y a trois ans, qui a voulu qu'on parte d'ici. «Une petite ville entre Lille et Dunkerque», c'est comme ça qu'elle parle de Bailleul depuis qu'on vit à Montpellier. Comme si elle avait honte de prononcer le nom de son ancienne ville! Alors qu'elle y est née, que ses parents y sont nés, que mon père y est né, et moi, et Nina, et ma tante, et mon oncle, et ma grand-mère. C'est là que mon grand-père, le père de mon père, est mort, juste avant ma naissance. Chez ma grand-mère, il y a des photos de lui dans toutes les pièces. Dans sa chambre aussi, il y en a une, une petite photo d'identité qu'elle a coincée sous la plaque de verre de sa table de nuit et qu'elle embrasse tous les soirs.

Quand je dors chez elle, j'adore la regarder faire : elle dépose une bise sur le bout de son index puis elle le pose sur la photo. Après, elle éteint.

Jusqu'à mes dix ans, je voyais donc Nina et ma grand-mère tous les jours. Et puis un dimanche, au dessert, mon père a annoncé à toute la famille que ma mère voulait quitter le Nord et qu'il était d'accord parce qu'ils avaient besoin tous les deux d'une nouvelle vie. Je me souviens exactement de la voix de mon père à ce moment-là : il se raclait sans arrêt la gorge, comme s'il avait une bronchite. Pour Nina, ma grand-mère et moi, ça a été un tremblement de terre.

Le jour où on est partis, j'ai fait le voyage à reculons. Par la vitre arrière, je regardais le paysage disparaître. Je ne sais pas combien de kilomètres j'ai pu rester comme ça, mais c'était un temps éternel, et j'avais l'impression d'être un papier que l'on déchirait.

Une chose est sûre : mes parents n'avaient pas menti en disant que notre vie allait changer. On m'a inscrite dans un collège privé et religieux («Le meilleur de la ville», m'ont dit, super contents d'eux, mes parents). Ma mère a retrouvé un job (c'est son mot) dans un salon chic. Mon père travaille dans un magasin de chaussures. On habite dans un immeuble et, le week-end, on va se promener au bord d'une mer aussi chaude qu'une piscine. Je déteste Montpellier et tout ce qui m'éloigne de Nina.

La seule chose à sauver, ici, c'est mon collège. Parce qu'on m'y a appris les prières. Et les prières ont un gros avantage : quand on les récite, on est comme hypnotisé. Moi, en tout cas, c'est l'effet que ça me fait. Je ne pense plus à rien. Et ne plus penser, c'est mon désir le plus grand. Pour oublier que Nina me manque, je suis capable de faire mille prières par jour s'il le faut. J'essaie aussi d'imiter la démarche des sœurs et de me donner un air sévère. Ce que je veux, c'est que mes parents comprennent bien que je ne leur pardonne pas. Que je n'ai rien à faire de leur petit bonheur au soleil et de leurs histoires sur Mme et M. Machintruc qui ont acheté — non mais tu te rends compte ? — pour trois cents euros de chaussures ou de produits de beauté. Alors que, moi, je ne fais qu'attendre les vacances.

À ce propos, il y a quand même une chose qui me gêne au collège : en plus des prières, les religieuses nous apprennent tous les sens du mot «péché». «Péché de chair», elles en parlent aussi souvent que je pense à Nina. Elles nous expliquent qu'il ne faut pas regarder les garçons, qu'il faut oublier notre corps et ne penser qu'à Dieu. Heureusement, pour ce qui est des cousines, elles ne disent rien. Si bien que je continue d'aimer Nina.

De l'aimer avec mon âme mais aussi avec mes mains. Nina, je voudrais la toucher tout le temps. Quand on est loin l'une de l'autre, elle est devant mes yeux comme une chandelle qui brille. Je n'arrête pas de lui parler dans ma tête. Je lui dis des trucs fous : «Tu es ma vie. Sans toi, je veux mourir. Avec toi, je peux faire des miracles. Si tu meurs, je te ressusciterai.» Je lui dis tout ça, le soir, avant de m'endormir.

Je me demande si elle se rend compte que je l'aime autant. Je ne sais pas si elle m'aime. Mais elle est si petite qu'elle est entrée en moi depuis ma naissance. Et je veux qu'elle n'en sorte jamais, jamais, jamais.

Finalement, devant le lavabo, j'arrive à me tenir droite. Dans le nez, j'ai une croûte qui m'empêche de bien respirer. Mais ce n'est pas grave puisque les autres respirent: soulagées, ma tante, ma grand-mère et Nina me regardent en souriant. Maintenant, ce sont elles qui racontent n'importe quoi. Ma grand-mère dit que je suis précoce et que je serai fertile. Ma tante me tapote les fesses en me félicitant de les avoir «si femme». Nina raconte la tête que faisaient les gens en nous voyant courir dans les allées de la foire. Il paraît que c'était à mourir de rire.

2

Ma grand-mère a des théories sur à peu près tout, et en particulier sur la nourriture. Quand on sort de la salle de bains, elle veut donc absolument que je mange au moins une tranche de saucisson. D'après elle, si on perd du sang, on perd des forces, et on ne **peut** les retrouver que dans la viande.

— Je mangerai si Nina mange avec moi!

Je fais celle qui réclame uniquement pour le plaisir de voir Nina accepter. Parce que, si ma tante la traite sans arrêt de tête de mule, avec moi elle est tout l'inverse : elle me suit, elle m'écoute, elle fait ce que je lui demande de faire. Quand j'y réfléchis, je me dis que c'est la preuve qu'elle m'aime. Dans les moments où je suis pessimiste, je me dis que je ne peux pas savoir, parce qu'il est clair qu'on peut obéir à quelqu'un sans avoir d'amour pour lui. En tout cas, toute la famille nous appelle«les inséparables».

Dans la cuisine, on entre à la queue leu leu. Ma tante va s'asseoir près de la fenêtre pendant que ma grand-mère sort du réfrigérateur tout le nécessaire de survie pour «fille qui a perdu du sang». Nina et moi, on s'est assises chacune à un bout de la table en Formica bleu pâle, et, comme un vase et quelques marguerites nous séparent, j'imagine tout de suite qu'«on dirait que nous sommes à une table de rois et de reines». Je sais que ça fait gamine, mais j'adore inventer des histoires de ce genre, surtout quand je suis un peu malade. J'explique à Nina que, bien entendu, elle est la reine, que, bien entendu, je suis le roi, et que nous prenons notre déjeuner, servies par notre fidèle cuisinière. Puisque je reviens de mille exploits de guerre, ma reine doit écouter le récit de mes épopées en me couvrant d'un regard amoureux et admiratif.

Mais je respire encore tellement mal que mon nez siffle et qu'en fait de roi je ressemble plutôt à son fou. J'ai beau raconter que je me suis battue avec un lion et que c'est un coup de griffe qui a été fatal à mon nez, «Madaaame, j'ai crrrru mourirrrr et c'est à vos yeux que je dédiais mon dernier souffle», Nina ne peut garder son sérieux très longtemps. Elle se met à rire en me disant que je ressemble plutôt à une locomotive et, aussitôt, je ris avec elle. Parce que moi aussi j'aime l'imiter et faire ce qu'elle attend de moi. Pourtant, j'ai mal au ventre.

Je sais bien qu'il faudrait que j'aille changer ma serviette. La décoller de ma culotte, l'emballer dans son petit sachet plastique et aller la jeter. Mais ça me dégoûte. Même si ma grand-mère m'a expliqué que les femmes perdaient ce sang mauvais pour vivre plus longtemps que les hommes, je n'ai retenu que le mot «mauvais». Et quand je pense que je vais le perdre chaque mois de ma vie, je trouve ça complètement dingue et injuste et révoltant! Ce qui fait que, lorsqu'on a terminé de manger, je préfère dire:

— Si on allait faire du vélo?

Nina accepte, bien sûr. Sans traîner, on se lève toutes les deux, on se précipite dans le couloir, mais devant la porte, horreur! ma tante me tend une casquette. Elle sait pourtant bien que, pour moi, casquette ou tout ce qui ressemble à quelque chose qui se porte sur la tête égale débile, horrible et toute une série d'adjectifs du même ordre. Au cas où elle l'aurait oublié, je le lui rappelle. Je me mets à protester devant Nina qui, très vite, vient à ma rescousse. Mains jointes, on implore, on en rajoute, on se transforme en chœur de pleureuses et notre grand-mère serait prête à s'émouvoir et même à rire. Mais ma tante a des arguments d'infirmière :

— Le soleil est encore trop fort, tu comprends ?

Je comprends qu'elle n'a pas le sens de l'humour. De toute façon, je n'avais pas envie de faire de vélo. J'avais dit ça pour Nina. Moi, ce que je veux, ce que je désire, c'est la prendre dans mes bras.

— T'as raison ! je dis finalement. On ira faire du vélo ce soir. Pour l'instant, on va aller jouer dans la cour, t'es d'accord, Nina ?

Elle hoche la tête dans le sens du oui pendant que sa mère me contemple comme la sainte que je ne suis pas. Une fois encore, je viens de marquer des points dans ma cote de fille sage : à qui veut l'entendre, ma tante aime raconter que je suis raisonnable et mûre pour mon âge. On sort donc sous sa bénédiction et les yeux attendris de notre grand-mère.

Mais, sans avoir besoin de se parler, dès qu'on est dans la cour, on file vers la porte du fond et on se met à courir en direction de chez elle. On saute, on rit, on chante. Arrivées devant la maison, on se faufile sous les fenêtres au cas où mon oncle serait là ; et puis on court encore jusqu'au jardin, là où on nous a monté deux petites tentes. La mienne est mauve et celle de Nina est rose.

Toujours sans avoir besoin de se parler, on entre dans la mienne. Aussitôt, on s'allonge et on ferme les yeux. Pas pour souffler, mais parce que c'est notre rituel. Je ne sais pas à quoi pense Nina dans ces moments-là. Moi, je fais une prière. Un «Je vous salue, Marie». Pendant cinq ou dix minutes, on reste comme ça. Puis je lui dis:

— Mets-toi nue!

J'ordonne. Un peu comme le prêtre à la messe. Je m'assois en tailleur pour la regarder qui se tortille en ôtant son tee-shirt, son short et sa culotte. Après, je la regarde se rallonger sur le duvet et s'y trémousser comme un petit chat. De ses yeux bleus, elle me fixe langoureusement. C'est moi qui lui ai appris à faire comme ça. Pour qu'elle soit encore plus belle et qu'elle m'attire. Je lui ai expliqué que les hommes aimaient ça. Je ne l'ai pas appris à l'école, bien sûr, mais en écoutant mon père. Parce que mon père parle beaucoup des femmes et qu'il les aime toutes. Et qu'il a des maîtresses, dit ma mère.

Elle me l'a dit un soir, dans la salle de bains, en enlevant son fond de teint. Elle croyait que j'aurais de la peine mais, je ne sais pas pourquoi, je n'en ai pas eu. Je me rappelle juste que j'ai pensé une chose terrible. J'ai pensé que, si j'étais un homme, je quitterais ma mère. Ce soir-là, elle m'a dit qu'elle voulait divorcer. Mais qu'il fallait que je n'en parle à personne parce qu'elle n'était pas encore très sûre d'elle. Je tiens parole. Là aussi, sans vraiment savoir pourquoi.

Elle n'a pas encore de seins, Nina. Tout est plat chez elle, tout est lisse. Sauf que, lorsque je passe ma main sur sa peau, je deviens folle. Serviette ou non, quelque chose s'agite à l'entrée de mon sexe et je ne peux pas résister : je dois calmer cette chose. Et pour la calmer, il faut que je me frotte contre Nina.

Est-ce que c'est à cause du sang qui a coulé de mon nez, de ce que ma tante a dit sur mes fesses ou ma grand-mère sur ma fertilité ? je ne sais pas ; mais cette fois, avec Nina, je deviens encore plus folle. J'enlève mon tee-shirt en cinq secondes et je m'écrase sur elle. Tout en frottant mon sexe contre ses cuisses, j'embrasse ses lèvres, je mords son cou. J'aime Nina à m'évanouir. À crier. Et quand je finis par me calmer, je me mets à pleurer.

D'habitude, je me relève et je récite un «Notre Père». Aujourd'hui, je pleure, parce que je sens comme jamais que je ne suis pas normale. Je sais que Nina est une fille. Je sais que je ne suis pas un garçon. Je le sais parce que j'ai du sang qui coule entre mes cuisses et parce que je n'ai pas le même sexe que mon père. Mais ailleurs, quelque part dans mon corps, je ne suis personne. Je ne suis qu'un monstre qui a besoin de Nina pour soulager une faim dans sa petite culotte. Je me fais penser à un ogre. Un ogre qui ne voudrait que de Nina.

À côté de moi, elle me regarde sans savoir quoi faire. Elle essaie de me prendre la main : je la retire et je m'éloigne. Je me recroqueville en lui disant que j'ai mal au ventre et que j'ai besoin de rester seule ; mais qu'elle ne doit surtout pas aller le répéter.

Elle sort en me le jurant.

3

Sur mon duvet, je m'effondre. Je bouge dans tous les sens, je me contorsionne, je me pince, je me serre les tempes. Je mets les mains dans mes cheveux et j'entortille mes mèches avant d'emmêler le tout en une bourrasque endiablée. Puisque je suis une sorcière, je ne veux plus ressembler aux humains. Je pleure et je pleure encore. Je couvre le tissu de ma bave et mon nez recommence à saigner. C'est normal. Je voudrais même me tailler les veines pour que le monstre s'échappe de moi. Je repense à la serviette que j'ai entre les cuisses et, cette fois, je l'arrache. Sans la regarder, je la jette : qu'elle tombe où elle veut, je m'en fiche. Si je pouvais, j'arracherais aussi la graisse de mon ventre ; mais finalement, épuisée, je reste sur le dos, les yeux plantés sur un coin de la toile mauve.

Je ne pense plus. J'arrive à me concentrer sur une tache. Puis sur le trajet d'une fourmi. Je reste longtemps ainsi, je crois. Suffisamment en tout cas pour que le jour soit tombé au moment où je me décide à jeter un œil à l'extérieur, puis à sortir dans le jardin.

Où que je regarde, il n'y a personne. Je pourrais mourir, être morte, tout le monde s'en fout. J'ai presque envie de retourner sous ma tente et d'attendre que quelqu'un vienne me chercher. «Quelqu'un», quelle hypocrite! Comme si je ne savais pas que je voudrais que ce soit Nina, encore Nina, toujours Nina. Je shoote dans le premier caillou qui se trouve sous mon pied et je me mets en route, presque contre mon gré, poussée par un mélange de peur d'être seule et d'envie de revoir Nina coûte que coûte. En sortant, je claque la porte. Qu'est-ce que ça peut me faire si mon oncle m'a expliqué mille fois qu'il fallait la fermer avec précaution?

Chez ma grand-mère, c'est justement lui que je vois en premier. Il est en train de faire rougir le charbon dans le barbecue. De loin, je regarde son dos et ses muscles mous. De face, il n'a qu'un ventre qui tombe sur sa braguette. Une bière à la main, souvent. Une calvitie naissante. Je remets un peu d'ordre dans ma tignasse avant d'entrer, histoire de ne pas m'attirer de questions et de passer inaperçue. Ce qui est facile, de toute manière, vu que mon oncle est du genre à ne faire qu'une chose à la fois et qu'il n'a pas vraiment le sens de l'observation.

— T'étais où, toi? il me demande quand même.

— J'étais fatiguée : j'ai fait une sieste sous la tente.

Il m'approuve d'un signe de tête complice : la sieste, ça le connaît. Même vingt minutes, il dit que ça suffit à se requinquer pour une journée. Il est tout le contraire de mon père, mon oncle. Je pense à cela en avançant vers la maison, là où Nina doit être. En fait, je pense surtout à ce que mon père m'a dit quand je lui ai annoncé que j'avais mes règles. «Bravo, ma fille!» Voilà ce qu'il a dit. Bravo pour quoi? je me le demande. Ma mère a été plus sobre. Elle a dit : «Je les ai eues à ton âge, moi aussi.» Et puis elle m'a demandé si je savais déjà ce qu'il me fallait pour la rentrée, parce qu'elle voulait commencer à s'organiser. Je les ai imaginés ensemble ce soir-là. Ma mère en train de faire sa liste, les ongles bien vernis et les yeux bien maquillés ; mon père devant un DVD : un vieux film avec Gabin peut-être. Il adore Gabin.

Quand je retrouve Nina, elle, c'est sûr, elle regarde la télé. Tranquillement installée, elle est à mille lieues de moi et de mes soucis. J'ai envie de la gifler, mais je me contente de lui attraper brutalement la main et je l'oblige à se lever. Elle me lance un «Arrête! Je veux voir la fin» qui m'énerve encore plus. Sans répondre, je la tire plus fort et elle finit par se laisser faire. Dans le couloir, dans le jardin, je la tire et on sort, sans croiser notre grand-mère et sous le regard vide de mon oncle à qui je crie au cas où :

— T'inquiète pas : on joue à un truc !

Derrière moi, je ne sais pas quel visage peut avoir Nina. Mon oncle, lui, fait un signe de la main qui veut dire : «Allez-y !» Son problème est ailleurs : le feu n'a pas l'air de prendre.

Dans l'église, je cherche la statue de Marie. Nina marche maintenant à côté de moi, dans l'allée centrale. On avance en silence et je me calme un peu. Devant la Vierge, je m'agenouille et je dis à Nina de m'imiter. Comme sous la tente, elle m'obéit. Même si j'entends qu'elle soupire et qu'elle marmonne : «La barbe !» C'est la première fois qu'elle montre un signe de résistance mais je ne relève pas. Parce que je suis comme mon oncle : mon problème est ailleurs. Je suis ici pour faire pénitence et personne ne m'en empêchera.

Mains jointes, tête baissée, j'entame mes vingt «Je vous salue, Marie». Vingt, c'est le nombre que donne le prêtre lorsqu'on a péché. Je récite à voix haute, articulant chaque syllabe et chaque mot pour m'engourdir l'esprit. Je veux aussi qu'une à une les paroles retombent sur moi comme des étincelles pures. À la fin, pour moi seule, je jure que je ne toucherai plus jamais Nina.

En le disant, je ne peux m'empêcher de me remettre à pleurer. J'aimerais parler à quelqu'un, à n'importe qui. J'aimerais que Nina me demande pourquoi je l'ai emmenée ici, pourquoi je récite toutes ces prières. Au lieu de ça, quand je me tourne pour la regarder, je ne vois qu'une fille qui a les yeux au plafond et qui attend la fin d'un jeu qui ne l'amuse pas du tout.

Pour la première fois, je me rends compte que je ne l'ai jamais vue pleurer, Nina. Ni se mettre en colère. Elle a l'air de traverser le monde sans être touchée par rien : d'avancer en parfait équilibre sur la terre. Sa peau est pourtant toujours aussi transparente ; mais je me dis subitement qu'elle doit lui servir de protection, comme un double vitrage.

Alors, sans rien ordonner, je me lève. Qu'elle regarde le plafond, qu'elle me suive : peu m'importe.

J'ai une tristesse en forme de vagues dans le cœur. Un va-et-vient de prières et de regrets et de rancune que je promène jusqu'à la sortie de l'église.

— Attends-moi!

Elle crie du bout de l'allée. J'entends ses pas précipités, mais je ne me retourne pas. Je me contente de lui tenir la porte de bois, lourde comme toutes les portes d'église.

— Pourquoi tu pars sans me le dire?

Même si sa question n'est pas la bonne, ça me fait du bien qu'elle m'interroge, qu'elle s'inquiète peut-être. Je daigne donc lui faire face. J'arrive même à lui sourire et à lui répondre qu'elle n'avait pas terminé sa contemplation du plafond.

— T'es vraiment pas marrante, tu sais!

Puisqu'elle a raison, je laisse glisser sa phrase. Je relâche aussi la porte et elle manque de se refermer sur elle.

— Super sympa, merci!

Pour la première fois, sa voix est glaciale, mais je ne réponds toujours pas. J'avance. Je la sens qui marche à deux pas derrière moi. Qui n'essaie pas de se rapprocher. Je voudrais lui dire quelque chose, m'excuser peut-être. Je ne peux qu'avancer comme une idiote en regardant mes pieds. Assez longtemps, on marche comme ça, silencieuses toutes les deux. Et puis, devant une cabine téléphonique, j'ai envie de m'arrêter et d'appeler ma mère. J'ai envie de lui demander si elle veut vraiment divorcer et ce que sera notre vie, après. Je voudrais aussi lui demander ce qu'on doit faire quand on aime une personne en sachant qu'on n'en a pas le droit.

— Vas-y! Je vais appeler mes parents.

— Pourquoi t'appelles pas de chez moi ou de chez mamie?

— Sûrement parce que je suis pas marrante.

Elle hausse les épaules et s'éloigne. Je la regarde partir en pensant que la journée d'aujourd'hui est la journée des premières fois; car Nina a eu l'air d'être vraiment en colère. Tant pis! Je pousse la porte vitrée de la cabine. Mais à l'intérieur, j'étouffe. Et je pense tout à coup que je n'ai pas remis de serviette dans ma culotte. Et que celle que j'ai jetée doit traîner dans ma tente. Et que je dois aller la chercher. Et qu'il faudra que je tienne dans mes mains mon sang noir et sale. D'un coup de pied, j'ouvre la porte et je sors comme je suis entrée: aussi grosse, aussi mal, aussi idiote et amoureuse.

4

Après avoir mangé, il faut digérer. Et pour digérer nos merguez, on regarde un Bourvil. La famille est au complet. Tous dans le salon de ma grand-mère, Nina et moi coincées dans le fauteuil où, paraît-il, notre grand-père s'asseyait toujours.

Je ne vois rien du film. J'arrive heureusement à m'esclaffer quand il le faut: l'habitude de faire comme si. L'épaule de Nina est collée contre la mienne. Sans qu'elle le fasse exprès, ses cuisses me touchent et m'excitent. Qui suis-je pour éprouver cette envie, terrible, de me frotter encore et encore sur elle? Comment m'y prendre pour l'arrêter? J'essaie de me souvenir quand cette envie a commencé. Je crois que c'était le jour du départ pour Montpellier. Quand j'ai serré Nina dans mes bras, devant la voiture, je me rappelle très bien que j'aurais voulu entrer en elle ou qu'elle entre en moi pour que nous ne soyons jamais séparées. Mais pourquoi? Pourquoi est-ce que je ne peux pas résister? Et pourquoi est-ce que Nina accepte sans rien dire alors qu'elle ne demande rien?

À la fin du film, j'ai mal au cœur. Je me sens si mal que, dès la dernière image, je dis que je voudrais du Primpéran. Je le dis tout fort, pour que tout le monde sache que je suis à plaindre. Et ça marche! Ma grand-mère veut prendre ma température. Ma tante dit que saigner du nez et avoir mal au cœur, c'est trop en une seule journée. Elles me conduisent dans la cuisine où je laisse ma grand-mère me serrer dans ses bras et m'embrasser en m'appelant sa petite chérie. Je me pelotonne contre elle tout en regardant si Nina nous a suivies. Elle est bien là, à la porte de la cuisine, en train de relacer ses baskets, comme l'après-midi elle regardait la télévision pendant que je pleurais. Derrière elle, mon oncle est là aussi. Il me regarde en ricanant gentiment, mais en ricanant quand même.

— C'est normal qu'elle soit patraque: elle a ses ragnagnas.

Et, mettant une main sur l'épaule de ma tante:

— Tu me dis bien que t'es pas en forme, toi, ces jours-là.

Ma tante repousse sa main d'un geste gêné. Il n'empêche qu'elle semble rassurée parce qu'elle dit que c'est vrai, la première fois qu'elle a eu ses règles, elle a passé toute la journée avec un sac de glaçons sur le ventre. Elle parle lentement, avec un air songeur, comme si elle y était encore.

Toujours blottie contre ma grand-mère, moi, je cherche à croiser les yeux de Nina qui s'est relevée. Est-ce qu'elle cherche à me narguer ? Elle qui ne le fait jamais, elle tient la main de son père. J'ai presque envie de lui crier qu'elle devrait sucer son pouce pendant qu'elle y est ! Mais comme je n'en peux plus de nous voir tous dans cette cuisine, je décide d'en finir et de reprendre mon rôle de fille qui va bien, très très bien. Puisque je sais à l'avance ce que dit ma tante dans ces moments-là, je le dis à sa place :

— Une bonne nuit et je serai en pleine forme demain.

En retenant un bâillement qui la défigure, comme prévu elle m'approuve d'un hochement de tête. Puis elle se tourne vers Nina et lui pose une main sur l'épaule.

— En parlant de nuit : tu dors avec Zoé ou tu rentres avec nous ?

Mon cœur s'immobilise. Je scrute une Nina silencieuse qui se gratte le bras. Parce que tout est première fois, ce soir c'est moi qui l'implore. Des yeux, je lui demande de ne pas m'abandonner. Et les secondes passent. Et Nina finit par répondre :

— Je dors avec Zoé.

Elle n'a pas relevé la tête. Elle ne sourit pas. Elle donne seulement l'impression de s'ennuyer, comme à l'église, mais en pire. Moi, je m'exclame :

— Ce qui serait génial, ce serait qu'on dorme sous la tente : on pourrait ?

Ma tante accepte aussitôt et les autres n'y voient pas d'inconvénient. Nina est la seule à ne rien dire, mais personne n'a l'air de s'en soucier. Je file dans la salle de bains où je me brosse les dents et attrape ma chemise de nuit.

Dehors, les rues sont éclairées par des réverbères auxquels des géraniums pendent en grappes. Mon oncle et ma tante se sont enlacés. Nina marche derrière eux et je marche quelques pas plus loin, plus seule que jamais. Parfois, j'aimerais raconter à ma tante ce que ma mère m'a dit de garder secret. À Nina aussi, souvent, j'ai voulu me confier. Pourtant, je commence à comprendre pourquoi je tiens parole :

pas pour protéger ma mère, mais pour que les autres ne sachent pas que mon père a des maîtresses.

Comme mon oncle fait remarquer que le ciel est spécialement bien étoilé, nous levons tous le nez. J'ai peur de ce que j'ai proposé. Dormir sous la tente avec Nina, c'est une idée qui m'a été soufflée par la tentation, mais qu'est-ce qui arrivera si je la touche ? Et si je ne la touche pas ?

Que j'aie ou non une réponse, il est trop tard pour y penser : on vient de franchir la porte que j'avais claquée quelques heures plus tôt, sous les bâillements prononcés de mon oncle. Ma tante s'amuse de le voir « se décrocher la mâchoire », comme elle dit. Moi, je le trouve idiot et moche et je me demande comment il peut plaire à une femme. Nina, elle, a toujours l'air d'être sur une planète où elle n'aurait rien d'autre à faire qu'attendre que le temps passe. Elle dit bonne nuit à ses parents sans avoir ri ni parlé. Puis elle continue son chemin jusqu'à nos tentes. Je marche à côté d'elle en la regardant du coin de l'œil, sans parvenir à imaginer ce qu'elle peut penser en ce moment. Elle est loin, c'est tout. Pourtant, devant ma tente mauve, elle s'arrête et j'ose lui dire :

— Viens !

J'ai ordonné. Prête à me reprendre si elle refuse. Mais elle m'obéit sans hésiter, comme si c'était évident, comme s'il n'y avait pas eu l'église et ses soupirs et son silence. Comme si elle était devenue un automate.

Sur le duvet, je m'assieds en tailleur. Nina fait comme moi, puis elle attend. Si je ne m'allonge pas, c'est que nous n'allons pas nous prêter à notre rituel. Et s'il n'y a pas notre rituel, alors quoi? C'est cette question que je lis dans le regard de Nina pendant qu'elle attend.

Je me mets à me ronger un ongle. J'ai l'impression de puer, d'être horriblement laide. Je voudrais un miroir pour me regarder et me dire: «Tu es Zoé.»

— Qu'est-ce que t'as aujourd'hui?

Sa voix ressemble à celle de ma tante. Elle m'interroge avec gentillesse, mais avec un détachement qui frôle la froideur et le devoir. La vérité est qu'elle veut en finir, qu'elle a peut-être sommeil. La vérité est qu'elle ne m'aime pas, Nina, et qu'elle veut enfin que je le sache.

— J'ai que c'est dégueulasse, ce qu'on fait.

Elle me regarde avec l'air de qui ne comprend pas. J'arrache un nouvel ongle et je crie presque:

— Ce qu'on fait toutes les deux, c'est dégueulasse, tu sais pas?

Quoi qu'elle fasse, elle a des yeux qui roucoulent. Elle est une vierge, une sainte et je suis une fille anormale qui la salit. Je me retiens de pleurer. Je mâche mon ongle du bout des dents.

— Qu'est-ce que tu peux faire comme histoires!

Peut-être que, à sa place, j'aurais le même ton blasé. Là, évidemment, je ne peux que m'énerver. En silence. Sans rien montrer. Je me contente de faire comme elle tout à l'heure: j'écarquille les yeux pour demander qu'elle s'explique.

— Il y a plein d'autres filles qui font comme nous, figure-toi!

Je ne sais pas ce qui m'étonne le plus: qu'elle puisse être aussi tranquille; d'apprendre que d'autres le font; ou qu'elle en ait connaissance.

— Et arrête de faire cette tête-là! T'es chiante à la fin.

Dans la liste des premières fois, je devrais ajouter celle-ci: jamais Nina ne m'avait dit ces mots-là. J'ai les larmes aux yeux mais, à force d'avaler ma salive, j'arrive à me retenir encore et à demander:

— Comment tu le sais?

— C'est au collège. Dans les toilettes, j'en ai vu.

J'ai envie de la rouer de coups pour qu'elle pleure, elle aussi, au moins une fois. Comme je l'avais fait pour arrêter le sang, je serre les poings.

— Elles font vraiment comme nous?

Elle éclate de rire.

— Sauf que dans les toilettes, tu vois, elles sont debout!

Idiote! En voyant l'ironie sur son visage, c'est moi que je traite ainsi. Idiote qui a rêvé quand Nina ne faisait que jouer. Ne cherchait peut-être qu'à imiter les autres pour avoir quelque chose à raconter à chaque rentrée. Puis me vient une horrible question. Une question de jalouse.

— Et toi? Tu l'as fait avec d'autres filles?

— T'es folle ou quoi? Nous deux, ça va parce que t'es ma cousine, mais autrement...

Elle grimace pour finir sa phrase. Elle fait la dégoûtée et j'ai envie de la frapper, de l'insulter, de la refrapper. Pourquoi est-ce qu'elle n'a pas dit ce que j'attendais et redoutais à la fois? Pourquoi est-ce que je ne peux pas m'empêcher de lui dire:

— Eh ben, moi, c'est pas pour ça que je le fais avec toi: c'est parce que je t'aime.

Mais déjà je suis debout et je m'enfuis. Je cours dans le jardin. Je cours sur la place, dans les rues. Je cours dans le noir, loin de Nina qui n'est plus Nina. Je cours avec une serviette sale entre les cuisses. Avec mon corps de monstre qui n'en est même pas un. Je ne suis qu'une menteuse, une vicieuse, une fille qui en aime une autre et mon père m'a dit le nom, un jour, de ces femmes-là. Il riait en le disant, se moquait. Mais lui? Mon père est un salaud qui couche avec n'importe qui pendant que ma mère pleure en se maquillant et en se remaquillant. À qui est-ce que je pourrais parler? Combien de temps est-ce que je vais être obligée de me taire, pour eux, pour moi? Je voudrais disparaître. Ou rester paralysée pour toujours. Ou bien me cacher. Rejoindre les sœurs de l'école et leur demander qu'elles me gardent avec elles. Prier et reprier. Empêcher que tout grandisse en moi parce que, quand je grandirai, le mal grandira; et une femme comme moi, qui pourra en vouloir?

5

— Il faut que je te parle!

Sa voix a changé. À moins que ce ne soit moi.
Mais je ne crois pas parce que son regard aussi a
changé. En une nuit, on dirait qu'elle a vieilli,
Nina. D'ailleurs, c'est elle qui ordonne, qui me dit:
«Viens! Pas ici.» Ici, c'est-à-dire dans la cour de
notre grand-mère, là où je m'étais assise pour réfléchir et réfléchir encore. Je me lève sans demander
où elle veut aller ni ce qu'elle veut me dire. Je suis
prête à la suivre où elle voudra, même si j'ai peur.
Une peur immense qui me dévore de l'intérieur et
se mélange au mal de ventre.

La veille, quand je suis revenue dans ma tente,
elle était dans la sienne et je ne suis pas allée voir si
elle dormait. Au petit déjeuner, elle n'était pas là.
«Elle est partie faire une course avec son père, m'a
dit ma tante. Elle a dit qu'il fallait te laisser dormir.»
Bien sûr!

Maintenant, je la suis. On a pris nos vélos, dépassé les maisons, la place avec l'église, le terrain où est installée la foire. On passe devant notre ancienne école, puis elle tourne à droite et je sais où elle nous emmène : dans un pré où on avait construit une cabane lorsqu'on était petites. C'était bien avant que je me frotte sur elle.

On lâche nos vélos dans l'herbe et, de nouveau, je suis derrière elle. La cabane est encore là : un ensemble de planches recouvertes de mousse, quasi écroulées au pied d'un arbre.

— Tu te souviens ?

Debout face à moi, elle me regarde attentivement, sérieusement. Oui, elle a réellement vieilli, Nina. Je réponds par un signe de tête.

— On parlait de nos amoureux, tu te rappelles ? Toi, tu étais amoureuse de Franck et moi d'Éric. On se donnait leurs noms et on imaginait nos vies avec eux.

Elle prend un air tendre que je dois fuir si je ne veux pas avoir envie de la serrer dans mes bras. J'arrive à articuler un « oui » ridicule.

— Alors, pourquoi ? elle demande.

Plus que jamais, je l'aime. Les mots s'embrouillent et je ne peux toujours pas répondre.

— Peut-être que tu devrais aller voir un docteur. Il y a une fille au collège qui va parler à un psy parce qu'elle est bizarre.

Est-ce que c'est vraiment Nina devant moi ? Cette fille sûre d'elle, je ne la connais pas. Mais je n'ai jamais voulu connaître Nina. Je voulais uniquement sa peau. Je VEUX uniquement sa peau. L'avoir sur moi. En moi. M'en envelopper. Comme mon père le jour où il a annoncé le départ pour Montpellier, je me racle la gorge. Puis je me lance, avec l'impression réelle de me jeter dans le vide :

— Je crois que je voudrais te ressembler.

— C'est drôle, elle dit dans un sourire vague.

— Et pourquoi ?

Je n'aime pas son sourire. Il n'a plus la transparence d'avant. Il faut pourtant que je m'y fasse : Nina n'est plus Nina. Et c'est peut-être tant mieux.

— Parce que moi aussi, tu vois, je veux te ressembler.

Elle s'arrête. Me regarde comme j'aimerais qu'elle me regarde la vie entière.

— Je voudrais avoir tes cheveux noirs et avoir mes règles et des formes et que grand-mère me dise que je serai fertile. Tu vois pas ? Je suis maigre comme un clou et on dirait que j'ai neuf ans. Alors que toi…

Elle s'arrête et je pourrais poursuivre à sa place. Mais c'est elle qui parle aujourd'hui.

— ... tu ressembles déjà à une femme.

Elle a dit ça comme on avoue une faute. Devant notre cabane d'enfants, elle dit que je suis femme et qu'elle m'envie. Moi qui ai des plis sur le ventre et de la graisse à ne plus savoir qu'en faire ! Je ne comprends pas.

— Tu voudrais de mes grosses cuisses aussi ?

— Tu vas maigrir avec tes règles.

Toujours sa voix à la fois chaude et froide qui sait très bien dire les choses les plus terribles et les plus douces.

— C'est comme ça à la puberté. Elle te l'a pas expliqué, ta mère ?

Ma mère veut divorcer parce que mon père la trompe avec des quantités de femmes, voilà ce que je devrais répondre. Je ne fais que hausser les épaules.

— C'est sûr que c'est pas tes bonnes sœurs qui vont t'expliquer ça !

Elle se moque. Sûrement pour détendre une atmosphère que je rends lourde, comme toujours. D'ailleurs, elle le dit :

— Tes trucs d'église comme hier, c'est pas ça, la vie.

Elle a raison. La vie, c'est aimer Nina, toucher Nina et recommencer.

— Me regarde pas comme ça !

Je sens qu'elle a peur. Sauf que la nouvelle Nina est habile : elle sait détourner les dangers.

— Et toi alors ? Pourquoi tu voudrais me ressembler ?

À cette question, j'ai tellement réfléchi que je réponds immédiatement :

— Parce que tu es transparente.

Devant son regard ébahi, je regrette mon élan. Je regrette même d'être ici et de devoir expliquer l'inexplicable. Mais, puisqu'on en est là, autant faire simple.

— Parce que personne n'a envie de te toucher les fesses, quoi !

Elle éclate de rire. Et, peut-être à cause de mes nerfs en pelote ou de ce que je viens de dire, je ris aussi. On rit comme les deux bécasses qu'on était quand on pensait à nos mariages. À la fin, elle pose ses deux mains sur mes épaules.

— T'es la fille la plus dingue que je connaisse.

— C'est ça ! Tu m'en reparleras quand ça t'arrivera.

Je ne sais pas pourquoi, à ce moment-là, l'envie

de pleurer me reprend. À vrai dire, si, je sais pourquoi. Je sais même exactement pourquoi. Et Nina a compris en même temps que moi ce que je vais lui dire, car elle fait non avec la tête. Un non qui veut dire : «Arrête», qui veut dire : «Maintenant, c'est fini», qui veut dire : «Tu ne peux plus.» Mais c'est impossible que je ne puisse plus. Je l'aime. J'ai besoin d'elle. Je fais un geste dans sa direction. Elle recule. Je m'avance davantage.

— Juste encore une fois, je gémis. Je te promets que c'est la dernière. Je te promets.

Je suis prête à me mettre à genoux. Je m'approche à nouveau. Elle fait deux pas en arrière.

— Je te jure que ce sera la dernière fois.

Elle recule de deux ou trois pas supplémentaires, puis, alors que je n'y croyais plus, elle s'arrête. Les bras ballants, elle est immobile devant moi. Elle attend sans broncher, sans frémir. Elle est si froide qu'elle me donnerait presque envie de la laisser ; mais de toutes mes forces, je referme mes bras sur elle. Et c'est tellement extraordinaire que je la serre de plus en plus fort et que je me mets à chercher sa bouche. Aussitôt, elle se débat. Je tente un peu de la retenir, et puis à quoi bon ?

— Mais t'es vraiment malade, ma pauvre !

Elle me pousse violemment et s'éloigne. Après quelques pas, elle se ravise. Me regarde avec un air triste que je ne lui ai jamais vu.

— Je croyais qu'on s'amusait, toutes les deux.

Je pourrais répondre oui. Pour qu'elle n'ait plus peur de moi et qu'elle se laisse encore approcher. Sauf que je ne peux plus mentir.

— Je suis homosexuelle, tu sais.

Jamais, depuis que mon père avait dit le mot, je n'avais osé le prononcer. Étrangement, Nina ne semble pas du tout étonnée ou choquée. Pendant un moment, je pense que c'est parce qu'elle ne connaît pas le sens de ce que je viens de lui dire. Mais c'était la Nina d'avant qui était naïve. Celle d'aujourd'hui sait tout, comprend tout. Celle d'aujourd'hui peut être agressive.

— Ça, merci, j'avais compris! Sauf que ce sera plus avec moi, c'est tout!

«Alors avec qui?» je voudrais lui demander. Mais elle ne m'en laisse plus la possibilité : son regard est dur, jugeant, mauvais. Je voudrais pourtant qu'elle au moins me comprenne. J'essaie encore, même si ma voix peine :

— Tu ne sens pas que j'ai honte? Que je ne veux pas être comme ça?

Elle pose sa main sur la mienne. Une main qui prendrait la température d'un enfant malade.

— Tu as le droit d'aimer les filles. Il y a bien des hommes qui aiment les hommes. C'est juste que, moi, je ne suis pas comme ça.

— Tu crois pas que je suis anormale, alors?

Pour rompre l'ambiance de tragédie, elle se force à rire. Je sens qu'elle se force, mais j'accepte parce que moi aussi je n'en peux plus.

— Tu es gaga, ça, je te l'ai déjà dit. Pour le reste, sois cool: il y a des gens qui sont comme toi. Et puis, franchement, t'as le temps de changer, tu crois pas?

— Et toi aussi.

On pouffe toutes les deux. Maintenant, on a besoin de ça: pouffer de rire encore et encore.

II

Chère Nina,

S'il te plaît, n'aie pas la trouille en ouvrant cette lettre ! Même si, depuis mon retour, je repense toutes les minutes (je te jure) à ce qui s'est passé cet été, même si les derniers jours ont été HOR-RIBLES (quand on devait faire comme si on était encore «les inséparables») et que j'ai mal, mal, mal, même si je t'aime et t'aimerai toujours, sois tran-quille, je vais pas t'inonder de lettres d'amour. Il faut juste que je parle à quelqu'un, et «quelqu'un», pour moi, c'est TOI.

Tu sais, cet été, je t'ai caché une chose très importante : ma mère et mon père veulent divorcer. Ou plutôt, ma mère veut que mon père s'en aille, parce qu'elle dit qu'il la trompe avec d'autres femmes. Si je l'écoute, on aurait même quitté Bailleul à cause de ça. Ce qui est sûr, tu t'en sou-viens peut-être parce que ça nous faisait rire, c'est que mon père a toujours aimé draguer. Mais de toute façon, je veux pas rentrer dans leurs histoires. La plupart du temps, je vais m'enfermer dans ma chambre (comme en ce moment, tu vois!) et j'essaie de lire ou de faire mes devoirs. Ce soir, j'arrive à rien et puis je pense trop à toi. J'ai tellement besoin de me confier!!! Tu comprends, Nina? Oh, dis-moi que tu comprends!

Je te raconte nos soirées depuis une semaine: dès que mon père rentre, ma mère l'agresse. Elle lui sort une chemise ou n'importe quoi et elle lui met sous le nez en disant que ça sent le parfum (un autre que le sien, bien sûr!). Lui, à ce moment-là, il rigole un peu, mais comme elle continue de lui dire des trucs du même genre (tu connais ma mère, quand elle est lancée, elle ne s'arrête plus!), à force il se met en colère. Si je ne pars pas directement dans ma chambre, tu peux pas imaginer tout ce que j'apprends sur eux! Et que ma mère fait mal l'amour, que mon père est un obsédé... Quand j'en peux vraiment plus de les entendre, je me mets à crier plus fort qu'eux. Je dis n'importe quoi: «Arrêtez! Taisez-vous! Vous êtes fous!» et en général, ma mère va s'effondrer en pleurant sur le canapé et mon père va se servir un verre. À ce moment-là, il explique à ma mère (qui est toujours effondrée sur le canapé) qu'il va partir, qu'il a compris que ça pouvait plus continuer comme ça, que tout le monde est malheureux, qu'il lui faut juste le temps de trouver un appartement et blablabla et blablabla. Moi, je reste comme une zombie à côté d'eux, à plus savoir quoi dire. C'est pour ça que j'ai décidé de passer le plus de temps possible dans ma chambre.

Ce qui est fou, tu vois, c'est que, quand ils se disputent, ils sont toujours les mêmes, mais avec des têtes défigurées. Je sais pas comment te dire : je les reconnais et en même temps je les reconnais pas. C'est très bizarre !

Mais le pire, c'est quand même les soirs où mon père rentre tard. Toute la soirée, je dois rester à côté de ma mère qui me dit des choses dégueulasses sur mon père. J'en ai marre à un point que tu peux pas imaginer.

J'espère vraiment que tu comprendras que, à part toi, je peux raconter toutes ces horreurs à personne. Et d'ailleurs, je te demande de pas les répéter. Surtout pas à mamie, ça lui ferait trop de peine. Tu jures, hein ?

En plus, je sais qu'entre nous j'ai tout gâché. Quand j'entends ma mère parler de mon père, je me dis souvent qu'elle a fait comme moi avec toi :

elle a pas su s'y prendre. Et est-ce qu'on peut rattraper ses erreurs ? Est-ce que l'amour est éternel malgré les crises ? J'essaie d'y croire.

Je t'embrasse, Nina. Simplement sur les joues.

Ta cousine Zoé

P.-S. : Dans tout ça, j'ai quand même une bonne nouvelle (enfin… je crois) : j'ai arrêté de faire des prières.

Nina, Nina,

Je t'ai pas envoyé une lettre que je t'avais écrite il y a quelques semaines. Je sais pas si je t'enverrai celle-ci. J'ai si mal loin de toi!!!

JE SAIS QUE TU NE M'AIMES PAS.

Il faut que j'écrive cette phrase et que je l'apprenne par cœur. Mais ta peau transparente brille tout le temps devant mes yeux. Je la vois comme si tu étais ici. Je vis en t'appelant. Je ne fais plus de prières mais je m'accroche à mon rêve. Je veux rester seule de plus en plus. Rester seule avec toi : toi, mon impossible amour. Parce que je le sais, je l'écris encore : tu ne m'aimes pas. Mais je m'en fiche. Je suis sur une île et je regarde le monde de loin. Parfois, je me dis que tu as pris la place de Dieu, que tu as remplacé le ciel. Tu es mon paradis, Nina, celle qui m'ouvre des portes inconnues. Et c'est mon cœur que je dois suivre et écouter. Rien que mon cœur. Je suis sûre que la vraie vie est là : à l'intérieur de ce qui me fait souffrir, parce que, là, je sens que je grandis.

Nina, tu es du miel dans ma bouche. Et souvent, quand je dis ton nom, l'excitation me reprend. Alors, j'ai envie de me frotter et je le fais seule. Écrire et aimer, je ne veux que cela. Que ma main me caresse, puis qu'elle écrive mon amour.

Je t'en prie : ne m'abandonne pas !

Salut Nina,

Le temps passe vite : déjà deux mois et demi que le collège a repris. Comment vas-tu ? Est-ce que tu m'en veux toujours pour cet été ? J'espère que non. C'était un truc de gamines et, de mon côté, je te jure, j'ai déjà tout oublié.

Je t'écris pour te dire que je vais pas venir pour les vacances de Noël. Peut-être que mamie te l'a déjà dit, mais je trouve que c'est plus sympa de te l'écrire.

Cette année, figure-toi que mon père m'emmène au ski. Je suis dingue à l'idée d'apprendre à descendre les pistes. Surtout que, tu avais raison, j'ai vachement maigri ! Et sans rien faire, en plus. Le privilège de la puberté, mais oui, ma chère !

Et toi ? Tu as pris des formes comme tu voulais ? Moi, en soutien-gorge, je fais du 85B. C'est juste comme j'aime.

Bon. Je te laisse. Écris-moi toi aussi : ça me fera plaisir. Ou téléphone-moi puisque tu es flemmarde !

Bises à tes parents,

Zoé

Nina,

C'est une Zoé triste qui t'écrit. Bien sûr, tu dois te dire : «Merci! Ça change pas de d'habitude», mais je t'assure que, là, j'ai vraiment de bonnes raisons.

Il y a trois jours, j'étais dans ma chambre en train de faire mes devoirs et j'ai entendu mon père rentrer. Rien d'anormal, tu me diras, eh bien si! Parce que, depuis des semaines, mon père rentre plus jamais avant minuit ou presque! Comme j'avais envie d'être tranquille, j'ai fait celle qui avait rien entendu, mais il est venu frapper à ma porte et il m'a demandé d'aller avec lui rejoindre ma mère au salon. Pour te dire l'air qu'il avait, c'était un peu comme quand il nous servait du champagne en cachette. Tu te rappelles? La tête de ma mère, tu vas vite comprendre : c'était celle des jours où elle rentrait du travail en se plaignant d'avoir mal partout. Bref! J'ai tout de suite compris qu'il y avait quelque chose de pas net dans l'air.

Je me suis assise dans le fauteuil jaune (tu sais, celui qu'on avait déjà quand on était à Bailleul), et mon père a sorti une feuille qu'il a balancée au bout de ses doigts. Et là, tu sais ce qu'il a dit? «Voilà! J'ai trouvé un appart. Dans deux semaines, je déménage.»

Imagine, Nina! Mon père s'en va. Mes parents divorcent. Qu'est-ce que je vais devenir? En plus, je t'assure, il était content. Il nous a dit qu'il s'en allait comme il nous aurait raconté la dernière bonne blague qu'il venait d'entendre!!! Bien sûr, ma mère s'est mise à pleurer. Moi, j'arrivais pas à dire un mot.

Je te raconte pas la fin de la soirée parce que c'est trop dur de me la rappeler. Je te dis juste la fin-fin: on a appelé Médecins de nuit pour qu'ils fassent une piqûre à ma mère.

Depuis, je peux plus dormir, plus manger. Lui, il dit que ce sera mieux, qu'il a pris un appartement à deux rues du nôtre, que j'aurai une nouvelle chambre et que je pourrai aller où je veux: une fois chez lui, une fois ici. Mais maman? C'est comme s'il ne voyait pas qu'elle va mal! Elle a maigri à un point!

Tout à l'heure, puisqu'il est encore là pour faire ses cartons, je lui ai demandé s'il l'aimait encore. Il était en train de trier des photos, c'est pour ça que j'ai eu cette idée. Il m'a prise sur ses genoux comme une gamine et il m'a dit texto: «On peut aimer quelqu'un et plus le désirer. Ta mère et moi, ça a jamais fonctionné question lit. Un jour, tu comprendras.»

J'ai pleuré. Parce que j'ai pensé à toi. À nous, je devrais dire. Je me suis dit que toi, c'était aussi pour ça que tu ne m'aimais pas : parce que dans ton lit, dans tes bras, tu veux un homme et que moi, je ne veux que toi, toi, toi. Mais OK! Je t'embête pas avec ça.

Et puis, le plus important en ce moment, c'est ma mère. Elle prend des médicaments contre la dépression. Du coup, elle a l'air d'un légume. Elle regarde mon père faire ses cartons, la bouche ouverte. Figure-toi qu'elle se maquille même plus! Elle a un arrêt maladie d'un mois et elle dort presque tout le temps. J'ai vachement peur pour elle.

Nina, aide-moi! Me laisse pas tomber comme mon père nous laisse tomber! Écris-moi! Je sais bien que, de mon côté, je t'ai laissée sans nouvelles. Que veux-tu, toutes les lettres que je t'écris, je les déchire. J'ai honte devant toi : pour cet été, pour ce qui se passe ici. Dis-moi au moins que tu me pardonnes!

Je t'embrasse de tout mon cœur,

Ta cousine Zoé

Coucou Nina,

J'espère que cette lettre te trouvera en forme. Ici, tout va super bien, même si tout a changé. Mamie a dû te le dire.

Ça me soulage que vous sachiez tout. Je peux enfin te parler librement de ma vie et, quand je vous reverrai, je n'aurai plus de secret pour vous. J'ai hâte de savoir ce que vous en pensez. Ma mère m'a dit qu'elle avait eu un coup de fil très sympa de la tienne. J'espère qu'on pourra tous rester comme avant et que mon père n'amènera pas une nouvelle femme dans la famille.

En dehors de ça, pour tout te dire, je suis assez contente d'avoir deux chambres. C'est un peu comme si j'avais déménagé sans avoir déménagé. Tu vois? Le top, c'est d'avoir tout en double: deux chaînes, deux bureaux, deux lits, deux armoires (avec des vêtements différents dans les deux endroits — je te jure que je frime pas: c'est vrai!)... Mais j'arrête. Si je continue, tu vas demander à tes parents qu'ils divorcent et je veux pas avoir ça sur la conscience!... Enfin, voilà! La seule chose qui m'embêterait, c'est ce que je disais tout à l'heure : que mon père amène chez mamie une autre femme que maman. S'il le fait, j'espère que vous l'aimerez pas.

Je t'écris aussi pour te dire que je viendrai pas aux vacances de Pâques. Mon père m'emmène à Rome. Comme tu fais pas de latin, tu ne te rends peut-être pas bien compte mais, pour moi, c'est la plus belle ville du monde. Alors, tu vois ce que je te disais : je peux vraiment pas me plaindre de ma nouvelle vie.

Surtout que ma mère va mieux. Hier soir, elle a invité des copines de son travail et on a fait une soirée «entre filles», comme elles disaient toutes. Il y en a une qui s'appelle Véronique (Véro) et qui est tordante. Elle a des cheveux frisés comme moi et plein de taches de rousseur. Je suis sûre que, si tu la voyais, tu lui donnerais à peine trente ans **alors qu'elle a** le même âge que nos mères. Ça donne **vachement envie de vieillir comme elle ! En** attendant, elles ont toutes dit que j'étais une belle fille. Ah ! Nina, si tu savais ce que tu perds !... (Je rigole.)

Et toi ? Je te signale, au cas où tu le saurais pas, que le téléphone, ça existe. (Là, je rigole moins !)

Je t'enverrai une carte de Rome si j'ai deux minutes.

Je te bise, cousine,

Zoé

P.-S. : Moi, je t'ai écrit plusieurs fois, puis j'ai tout déchiré. Pas le courage. Enfin… Tu comprends…

Ma chère Nina, ma chère Nina, ma chère Nina,

Je suis HEUREUSE.

Oui, c'est à toi que j'ai envie de l'écrire en premier: JE SAIS QUE JE NE SUIS PAS ANORMALE. Je peux même l'écrire sur toute une page: je suis NORMALE. Je suis homosexuelle, mais je suis normale. En plus, maintenant, j'aime bien le mot HOMOSEXUELLE. Avec le «elle» de la fin, ça me fait penser à rebelle, belle, éternelle, universelle. J'adore!!!

Mais bon, tu dois te demander comment cette métamorphose («Ma cousine heureuse, non, j'y crois pas!») a bien pu se produire. Je t'explique.

Ma mère organise de plus en plus souvent des repas «entre filles». Et, selon la logique «les copines de mes copines sont mes copines», un soir, une copine de ma mère (une fille qui s'appelle Véro et qui est géniale) est venue accompagnée d'une fille, beaucoup plus jeune que les autres, vingt-cinq ans, je dirais. Avec mon œil de lynx, j'ai tout de suite vu qu'elles étaient plus que des copines toutes les deux, même si personne n'en a parlé: tu imagines bien!

Cette fille (elle s'appelle Marilyne), c'est ma meilleure amie, maintenant. Elle est pas esthéticienne comme les autres, elle fait les Arts déco. Entre parenthèses, j'ai un peu changé d'idées sur le métier de ma mère. Tu sais que j'ai toujours trouvé complètement idiotes les histoires de maquillage et de vernis à ongles… Eh bien, Marilyne, elle dit que le maquillage et la peinture, ça se ressemble. Parce qu'il faut savoir observer, harmoniser les couleurs. Il faut avoir de la délicatesse et de la patience. Du coup, j'ai commencé à me maquiller un peu : ma mère est aux anges.

Bref! Ce que je veux te dire, c'est que Marilyne m'a passé des livres. En fait, un jour, elle m'avait emmenée à une expo de peinture. C'était sur Bonnard. (Tu connais? Moi, je découvre tout ça grâce à elle. Si tu veux, je te montrerai des bouquins.) Et donc, devant un tableau, je me suis arrêtée. Au début, j'ai été attirée par le jaune vif (tu te rappelles que j'aime cette couleur?) et puis, en regardant bien, je sais pas pourquoi, j'ai été hyperémue. Ça représentait une femme un peu âgée, assise dans un jardin. Rien de spécial, mais elle avait un air si calme, cette femme, que j'ai pensé en un éclair à toute ma vie. Et, va savoir par quel miracle, j'ai compris que je n'avais pas le droit d'être toujours malheureuse, et que le but de mon existence, ce serait d'avoir un jour un visage comme celui de cette femme.

Marilyne a remarqué que j'étais émue, alors je lui ai expliqué ce qui m'arrivait. Elle m'a fait une bise sur la joue et elle m'a demandé super gentiment : «Tu ne trouves pas qu'elle est un peu trop passive, cette nana ?» (Elle dit toujours «nana» pour «femme».) Après réflexion, j'ai dit qu'on pouvait voir les choses comme ça. Alors, elle s'est mise à me parler des féministes (tu connais ?) et de toutes les femmes qui se battent pour être libres. Elle m'a dit aussi que les femmes d'artistes étaient souvent restées dans l'ombre, ou qu'elles avaient été utilisées en tant que modèles — comme celle du tableau —, alors que les femmes avaient le droit d'exister pour leur esprit. J'étais d'accord, bien sûr. J'ai même tout de suite pensé à ma mère, qui a passé des milliards de soirées à attendre mon père avant de pouvoir décider qu'il fallait faire quelque chose ! Et, comme par télépathie, tu vois, Marilyne a compris ce que je pensais. Elle a si bien compris qu'elle m'a demandé si j'en voulais à mon père. J'ai répondu non. Peut-être que tu trouveras ça bizarre, mais depuis toujours je comprends que mon père ait pas pu aimer ma mère. J'ai même dit que, dans un couple, il faut qu'il y ait une belle entente au lit pour que la vie soit agréable. Je me suis étonnée moi-même de dire un truc pareil, pourtant, je l'ai dit. Marilyne a eu un sourire en coin, l'air de dire : «Tu en sais des choses!» et je ne sais pas ce qui m'a pris, j'ai eu envie de lui parler de nous.

Je savais qu'elle me comprendrait. Parce que je ne m'étais pas trompée : elle est bien homosexuelle.

Je lui ai tout raconté. Tout, mais vraiment tout, excuse-moi. C'est là qu'elle m'a conseillé des livres. Et c'est là que j'ai découvert que j'étais normale. Une fois de plus, tu avais raison : il y a d'autres filles que nous qui font ce qu'on faisait, et des filles très bien puisqu'elles sont écrivains.

Ma préférée, c'est Christiane Rochefort. Elle écrit des trucs incroyables avec une liberté et un humour, tu peux pas imaginer comme c'est drôle!... Maintenant, je me suis mise à écrire moi aussi. J'écris sur toi. Sur mon amour qui ne s'arrête pas. Car, malgré tout, je reste une romantique. Marilyne dit que je suis une «Lamartine de l'homosexualité» et ça nous fait rire. Tu connais Lamartine ? C'est un poète qui pleure tout le temps! Tu vois le lien avec moi ?

Bref! Je sors de plus en plus souvent avec Marilyne. Je peux lui parler de tout, c'est super. Et le truc, c'est que sa manière de répondre à mes questions, c'est de me prêter des livres. Colette, j'adore aussi. Simone de Beauvoir, c'est un peu difficile mais, avec les explications de Marilyne, j'arrive à comprendre. Si ça t'intéresse, je te raconterai comment des femmes se sont battues pour devenir «propriétaires de leur corps», j'adore cette expression.

Voilà, Nina que j'aime, ce que je voulais t'écrire. Ta cousine est normale, homosexuelle et elle t'aime. Tu me diras que pour toi il n'y a rien de nouveau sous le soleil. Pour moi, au contraire, tout l'est, puisque je peux le dire à quelqu'un, et surtout à moi-même, sans avoir l'impression de tomber dans un gouffre de honte. Merci, les bonnes sœurs et leurs prières et leur culpabilité!

Mais toi? Qu'est-ce que tu deviens? Tu me donnes vraiment plus aucune nouvelle. J'espère que c'est parce que ta vie est aussi remplie que la mienne. J'ai bien peur que ce soit plutôt parce que tu m'en veux encore et que je te dégoûte. Pardonne-moi de t'aimer, Nina. Pardonne-moi tout si tu peux. Et ne m'oublie pas!

Zoé

P.-S. : T'inquiète pas, je ne te sauterai plus dessus quand on se verra. Je suis **plus** aussi débile qu'avant !

Nina, mon amour,

Demain. C'est-à-dire, si je fais le calcul en heures, dans seize heures, je vais te voir. Demain, dimanche 18 septembre 2005, je vais te revoir, après un an de séparation et de silence puisque j'ai envoyé aucune des lettres que je t'ai écrites, puisque tu ne m'as jamais téléphoné.

Est-ce que tu seras au train pour m'accueillir? Est-ce que tu voudras me parler? Mamie a juste dit: «C'est Nina qui va être contente!» Mais mamie, elle aime bien dire des choses gentilles et faire comme si. D'ailleurs, c'est peut-être d'elle que je tiens cette habitude. Même si je le fais de moins en moins et que je prends de l'assurance.

Pourtant, devant toi, je sais que je vais perdre tous mes moyens. Je sais que, plus que jamais, je vais t'aimer et que tu te refuseras. Je sais par avance que je vais souffrir. Marilyne dit que c'est une épreuve. «Il faut se confronter à la réalité», c'est sa devise. Je me bats pour qu'elle devienne la mienne. Mais tout va si vite, et il y a déjà eu tellement de changements cette année!

J'ai peur, Nina. J'ai peur que tu me regardes comme une étrangère ou une pestiférée.

Demain. Demain sera l'heure de vérité.

Ah! Que je m'énerve d'être encore si tragique! Je devrais tout simplement bondir de joie et je suis là à me lamenter, avant même de savoir ce qui se passera. J'imagine toujours le pire, c'est ça mon problème.

Donc, j'arrête. Je vais dormir. Me préparer à être belle. Et demain, j'arriverai en forme, prête à vous revoir tous. À te revoir toi, toi, l'amour de mon cœur.

III

1

À la fenêtre de la voiture 15, je m'arrache les yeux pour repérer Nina parmi ceux qui attendent sur le quai. Mon cœur bat comme un crétin pendant que le train freine et que tout le monde s'agglutine dans l'allée avec une armée de sacs et de valises. En gardant un œil sur le dehors, j'essaie de me faire une petite place au milieu des pyramides de bagages. Je suis tellement énervée que je suis prête à bondir sur le premier qui me marchera sur le pied.

Mais quand le train s'arrête tout à fait et que la porte s'ouvre, je suis loin de bondir. Je me fige comme une statue parce qu'elle est là… ma grand-mère. Qui me cherche au milieu du flot, inquiète et impatiente. «Je le savais, je le savais», je n'arrête pas de me répéter la phrase pour ne pas pleurer. Heureusement, comme on se bouscule de tous les côtés, comme le haut-parleur crie qu'on est arrivés et que la SNCF nous souhaite une bonne journée, j'arrive à me fondre dans le moule des arrivants et à descendre à peu près naturellement, c'est-à-dire en jouant des coudes et en ayant la mine de celle qui sort d'un terrain de rugby.

Sur le quai, la bousculade se transforme en bises qui claquent et en embrassades. J'aurais envie de les frapper les uns après les autres plutôt que d'aller retrouver ma grand-mère, qui m'a vue, enfin. Son sourire Mamie Nova m'énerve plus que tout le reste, mais, puisque je sais encore un peu faire comme si, je sors mon masque de bonne humeur et je lui rends ses bises en lui disant :

— Que je suis contente d'être là ! Tu m'as tellement manqué, grand-mère !

Par chance, après les effusions des retrouvailles, la bousculade reprend. On ne peut marcher qu'en file indienne, se perdre un peu, se rejoindre, ce qui fait que je n'ai pas besoin de sourire tout le temps. Si j'étais une fille positive, je me dirais que j'ai de la chance dans mon malheur. Au lieu de ça, je me mords les lèvres (j'ai pris ce tic quand quelque chose ne va pas) et je reste sur mes gardes, prête à reprendre mes allures de fausse fille contente dès que ma grand-mère se retourne.

Dehors, il fait gris. J'avance en me croyant dans un film où je devrais répéter sans arrêt la même scène. Tout ce que j'avais cherché à oublier me saute à la figure : je me revois devant Nina qui me repousse, je me revois en train de courir dans la nuit, en train de pleurer sous ma tente mauve... Je voudrais parler à Marilyne, là, tout de suite, lui dire que je ne suis pas assez forte pour supporter l'absence de Nina. J'ai l'impression que mon sac pèse une tonne sur mon épaule tandis que ma grand-mère s'excuse pour le mauvais temps, comme si elle en était responsable. Elle aurait voulu que le soleil m'accueille, « sauf que dans le Nord, tu sais... » Oui, je sais. Je sais tout. Avant de venir, je savais déjà.

— Par contre, pour demain, ils ont annoncé du beau temps.

Si elle pouvait deviner combien je m'en fous ! Quand même, je réponds : « Chouette ! », parce que j'ai mis en marche le pilote automatique des réponses toutes faites. Et ça a l'air de fonctionner : ma grand-mère me prend par le bras en ayant retrouvé son sourire de fraise Melba.

— Viens ! Je suis garée par là-bas ! Tu sais, sur le parking du Leader Price.

Mais oui, grand-mère...

Une fois dans la voiture, en retrouvant l'éternelle odeur de vanille et de vieux cuir de sa Peugeot, j'arrive à me détendre un peu. En plus, j'aime bien quand ma grand-mère conduit : elle est toute petite derrière son volant, et elle roule comme un bolide. Dès qu'elle démarre, elle m'en donne d'ailleurs un aperçu puisqu'elle fonce droit devant elle sans s'occuper du stop à l'entrée de la route nationale.

— T'es pas bavarde, ma chérie.

En plus d'être au moins à 120 au moment où elle me dit ça, elle ne regarde plus la route. Celle qu'elle observe, c'est moi. Si attentivement que j'ai un peu la trouille, et que je me mets à rougir.

— En tout cas...

Elle laisse la phrase en suspens et me quitte enfin des yeux. Est-ce qu'elle va me parler de Nina ? Pourquoi est-ce qu'elle ne l'a pas déjà fait ?

— ... tu es devenue une vraie jeune fille. Et belle avec ça !

En me disant que j'ai changé, elle va peut-être nous comparer ou m'expliquer où est Nina. Mais elle s'arrête là. Elle a même l'air de se concentrer sur la route alors qu'il n'y a pas le moindre danger. En fait, je sens qu'elle évite absolument de me parler d'elle, et, si j'étais moins nerveuse, c'est moi qui aborderais le sujet. Je me tais au contraire, comme toujours dans cette ville. Et, comme pour me faire taire un peu plus, ma grand-mère a la bonne idée de me conseiller de regarder le paysage, «histoire que je me réaccoutume aux lieux», elle dit. Je m'exécute en pensant qu'il y a des mois que je ne me suis pas sentie aussi lourde, aussi vide.

Arrivée devant la maison, je suis au sommet du spleen. Je descends en me retenant de claquer la porte comme une dingo et, mécaniquement, comme je l'ai toujours fait, je vais ouvrir le portail vert. Dans la cour, le bruit de mes pas sur les graviers me serre le cœur d'une manière plus débile que jamais. Je ne sais pas jusqu'à quand je vais pouvoir tricher, même si je m'oblige à croire, en avançant vers la porte d'entrée, que Nina est peut-être derrière. Ou bien qu'elle est dans la cuisine, à m'attendre. Parce qu'elle et ma grand-mère m'auraient préparé une surprise.

Derrière la porte, bien sûr, il n'y a que le couloir, orange vif toujours. Et après le couloir, il n'y a qu'un autre couloir, fleuri de ses pâquerettes papier peint, toujours. Et après, il n'y a que la cuisine. Et la table où deux couverts attendent.

Je laisse tomber mon sac. Mains molles et bras tombants, je m'arrête à quelques pas de la table. Je suis le coureur arrivé bon dernier à la ligne d'arrivée : je viens de la franchir et ça ne sert à rien. Dans mon dos, pourtant, deux mains se posent ; je me retourne en un clin d'œil.

Je la giflerais. Avec ses joues abricot qui se fripent dès qu'elle sourit, c'est encore elle ! Aussi menteuse que je pouvais l'être avant. Mais là, je ne peux plus. Mon masque a dû tomber en même temps que mon sac, je hurle presque :

— Elle est où, Nina ?

Les joues abricot prennent l'allure de deux coquelicots fanés.

— J'ai une mauvaise nouvelle, ma chérie.

Encore ce serrement imbécile dans le cœur. Avec en plus une dose de larmes qui se prépare au bord des yeux.

— Nina n'est pas là.

Ah ! Ah ! Ah ! Qu'est-ce qu'elle est drôle, grand-mère ! Comme si je ne le voyais pas, moi qui ne vois que cela !

— Je voulais pas te faire de peine, alors j'ai préféré attendre pour te le dire : elle est en vacances avec ses parents. Ils rentreront la veille de ton départ.

Cette fois, j'ai une raison de pleurer et je ne me gêne plus. Je me laisse glisser le long du mur et je m'écroule sur le carrelage, à côté de mon sac.

Combien de temps est-ce qu'on est restées sans rien dire, elle me caressant les cheveux, moi lâchant tout ce que mes nerfs avaient supporté depuis mon arrivée ou même avant ? Combien de temps est-ce qu'on est restées, elle et moi, à repenser aux anciens étés ? Je sais seulement qu'à un moment je n'ai plus eu de larmes. Elles se sont arrêtées comme les règles s'arrêtent. Sans que je ne commande rien. Et on s'est relevées. Ma grand-mère un peu plus péniblement que moi, avec un «Oh! là, là, dis donc!» destiné à me faire rire. Ce que j'ai fait du mieux que je pouvais.

Puis je suis allée me mettre de l'eau sur les joues et les yeux pendant qu'elle faisait réchauffer sa blanquette. J'aime bien ce moment après les larmes où je me regarde dans le miroir, où je vois la trace de ce qui a été et qui se prépare à disparaître. J'aime bien me sourire dans ces moments-là. Ou me donner une petite claque sur les joues. Aujourd'hui, j'opte pour la petite claque, j'en ai bien besoin.

À table, je ressemble à Nina : je prends des bouchées d'oiseau et je mastique longtemps avant d'avaler. Ma grand-mère me regarde d'un air triste :

— Toi qui avais si bon appétit ! elle ne peut s'empêcher de dire.

— Oui, mais mamie, je pense à ma ligne maintenant !

C'est fou ce que ces phrases-là peuvent marcher ! Elle se met à rire aux éclats et j'en profite pour dire que ce serait chouette de regarder un peu la télé. Comme si elle n'avait attendu que cette phrase, elle se lève aussitôt et va l'allumer.

— Je mets la une. À cette heure-là, il y a un feuilleton que j'aime bien.

C'est un téléfilm bidon, dans le genre de ceux qu'on aimait regarder avec Nina : des histoires niaises qui vont de malheur en malheur sans qu'il n'y ait jamais de fin. Je soupire en regardant quelques images et en repensant à tout ce que j'ai appris grâce à Marilyne. Un moment, j'ai envie d'en parler à ma grand-mère et de lui expliquer ma nouvelle vie. Et puis finalement je laisse tomber : je suis de retour au pays du silence et, pour la première fois, je comprends que ma mère ait eu besoin de le quitter.

2

Toujours, je suis étonnée de me réveiller. C'est la preuve que j'ai pu m'endormir, moi qui ai tellement de mal à le faire.

Ma première image, ce matin-là, n'est pas celle de Nina mais de Marilyne. Je la revois en train de me dire : « Ce sera une épreuve. » Et, bizarrement, la phrase me donne un punch d'enfer. Je me lève d'un bond, pressée de retrouver ma grand-mère et d'avaler un gigantesque petit déjeuner, pressée de sortir et de respirer.

Dans le couloir, c'est l'odeur des tartines grillées qui me guide. J'entre dans la cuisine en criant un grand « Coucou, mamie » de gamine heureuse. On se serre l'une contre l'autre. On s'embrasse. C'est l'enfance cette fois qui me saute à la figure : le souvenir des bons plats, des rires, des croque-monsieur au chocolat... En plus, la météo ne s'était pas trompée : il fait beau. Aussi, dès que j'ai bu mon bol de chicorée au lait et dévoré six tartines à la confiture de framboise, j'enfile mon jean et mon tee-shirt, et, du couloir, je crie que je vais faire un tour de vélo.

J'ai envie de sillonner le village, d'y retrouver les rues et les coins où j'aimais aller. Après tout, ce village a été le mien et j'y ai des souvenirs sans Nina. J'y avais même quelques amies. Par exemple Sylvie. Une fille assez jolie, mais avec deux petits frères bêtes et méchants toujours dans ses jambes. Sa mère était une sorte de mégère en pantoufles, qui passait son temps à mettre des claques à sa fille, parce qu'elle travaillait mal à l'école, parce qu'elle était rentrée trop tard, parce que les frères avaient raconté qu'elle avait parlé à telle ou telle personne. Ma grand-mère disait qu'elle était « la souffre-douleur de sa famille » et, peut-être à cause de ça, je l'aimais bien.

Le village est calme. Aux fenêtres des maisons, les draps prennent le frais, signe que des femmes, à l'intérieur, font le ménage. Ici, j'ai toujours vu les femmes faire le ménage et les hommes partir au travail, comme dans les livres de lecture. Moi, je serai comme Marilyne : homosexuelle et libre.

Je lâche mon guidon et pédale aussi vite qu'il m'est possible de le faire. La route est longue et droite. Elle longe des champs de blé qui sont en train d'être moissonnés. Je lance des saluts à des bras inconnus qui sortent des tracteurs. J'ai le sentiment d'avoir vingt ans et de rouler en Porsche.

Je pédale longtemps ainsi. Puis, essoufflée, je m'arrête. Il me faut quelques minutes pour reconnaître où je suis. La tête me tourne comme si j'avais dansé une valse ou que je m'étais frottée contre Nina. J'ai soif. J'ai faim. Je bâille. Je m'étire. J'offre ma poitrine aux arbres qui m'entourent. Bientôt, je retournerai chez ma grand-mère et je mangerai tout ce qu'elle aura préparé. Demain, j'irai acheter des peintures et je peindrai pour Marilyne. Après-demain, j'irai voir Sylvie. Pour l'instant, je me couche dans l'herbe et je ne pense plus à rien.

Après un long face-à-face avec le ciel, j'ai de nouveau envie de me promener. Mais cette fois, je vais au rythme de la campagne. Chaque coquelicot, chaque tournesol m'émerveille. Je prends le temps de tout regarder, de jouer à Van Gogh, de récupérer les années où je n'ai eu d'yeux, ici, que pour Nina. Devant mon école, je m'arrête. Je pose mon vélo et je vais mettre le nez à la grille.

La cour de récréation n'a pas changé. Je m'y revois, cartable orange et bleu en main, le jour de la première rentrée des classes. Ma mère avait essayé de tordre mes cheveux frisés en une sorte de chignon mais, sur le chemin, j'avais fait exprès de secouer la tête pour le défaire. Ma mère adore raconter cet épisode. Elle dit que j'étais la petite fille la plus mal coiffée de l'école et qu'elle en avait honte. Il n'empêche que j'ai tout de suite été la première de la classe et que, cheveux au vent, j'adorais sauter à la corde et jouer à la marelle dans la cour. Avec Nina près de moi, bien sûr...

Alors qu'elle allait revenir dans mes pensées, j'entends un bruit de freins. Des freins qui grincent et un vélo qui s'arrête à quelques centimètres de moi. Et si le rêve devenait... ?

— Salut !

Qu'est-ce que l'amour peut rendre idiot ! J'en ai la preuve une fois de plus. Je me mords la lèvre. Moi qui ne voulais plus pleurer, j'ai la gorge serrée. La voix qui vient de me parler est pourtant une voix naturelle et gaie. Une voix de fille. Par curiosité, je finis par me retourner.

— Tu rêvais ?

— Ben ouais.

J'aurais préféré trouver une réponse originale. Vu l'état de choc dans lequel je suis, je trouve pourtant que je m'en sors assez bien. Et puis, malaise ou pas, je suis intimidée par la spontanéité de cette fille que je n'ai jamais vue et qui a surgi devant moi. Elle a l'air d'avoir mon âge et, comme par hasard, elle est blonde et maigre comme Nina. Elle a les yeux clairs – d'un vert presque bleu. Sous une robe moulante rose fuchsia, elle ne porte pas encore de soutien-gorge et je peux imaginer qu'elle a les seins aussi plats que Nina l'été dernier. Si Marilyne était là, elle me ferait un clin d'œil complice : «À toi de jouer, ma jolie!»

— Tu allais à l'école ici ? elle demande.

— Jusqu'au CM1, oui. Après, j'ai déménagé.

— Tu as de la chance. Moi, je débarque. Et je trouve que c'est mortel cette ville !

— T'étais où avant ?

— Pas loin, mais c'était mieux.

— On croit toujours ça.

— Quoi ?

— Que ce qu'on quitte, c'est mieux.

— Toi, ma parole, tu dois être de mèche avec mon père : il dit exactement la même chose.

Elle sourit. Je fixe ses tétons. Sans me cacher. Sans faire comme si. Parce que son corps me fait du bien. Sa voix aussi. Pour l'entendre encore parler, je lui demande son prénom.

— Je te le dis, mais tu ris pas, OK?

Je fais une moue qui veut dire: «Pourquoi je rirais?»

— Albertine. C'est nul, hein?

Pour lui montrer que je suis tout sauf une moqueuse, je dis qu'au contraire ça lui va bien, tout en espérant qu'elle ne me demande pas pourquoi je dis ça parce que je serais incapable de m'expliquer. Mais, comme elle a déjà dû tout entendre sur son prénom, elle dit seulement:

— Mon père est fan de Proust. Tu connais?

Je voudrais pouvoir dire oui pour l'épater. Je m'en sors en disant que moi, je m'appelle Zoé comme dans la bande dessinée, et ça la fait rire.

— Tu dois être rigolote, alors?

— Pour ça, c'est un peu loupé, j'avoue.

Elle rit encore puis on reste sans plus rien se dire, comme si l'échange de nos prénoms avait permis de dire l'essentiel. D'ailleurs, je ne sais pas pourquoi, mais je n'ai plus envie de lui parler ni de l'entendre. À la réflexion, je la trouve sans gêne, cette fille. Et pas si belle que ça, en la regardant mieux. Je fais un pas vers mon vélo.

— Tu t'en vas?

— Il faut que j'y aille. On m'attend.

C'est mon père qui m'a appris à dire «on» avec le verbe «attendre». Il dit que ça donne un air important et mystérieux, et qu'avec les femmes il utilise toujours ce truc. Mais Albertine ne doit pas être comme les femmes que rencontre mon père: elle me toise et me lance un «D'accoooooord! Madame est une star!» auquel je ne sais pas quoi répondre tellement je me sens bête. En même temps, elle le dit d'une manière si drôle que je ne peux pas m'empêcher de rire. Et puis... elle est seule et il est clair qu'elle cherche une copine, peut-être une amie, peut-être même plus. Est-ce que Nina la disparue pourrait me faire passer à côté de cette fille tombée du ciel exprès pour moi? Je décide que non.

— En fait, c'est ma grand-mère qui m'attend.

— OK! Et elle habite où?

Je continue de rire.

— Tu peux pas savoir puisque tu viens d'arriver. Le mieux, c'est qu'on y aille ensemble.

En guise de réponse, elle pose son pied sur la pédale de son VTT, prête à démarrer. Je prends mon vélo, amusée, joyeuse, presque heureuse. Côte à côte, on roule sans rien se dire de très important, mais la voix d'Albertine a le don de me calmer. Le joli duvet qu'elle a sur les jambes n'est pas pour me déplaire non plus. Sans compter ses lèvres roses. Qu'elle va peut-être accepter de me laisser regarder pendant deux semaines.

3

Dès le lendemain, j'ai revu Albertine. En me quittant devant le portail de ma grand-mère, elle m'avait demandé si j'avais envie qu'on passe un après-midi ensemble et j'avais accepté sans hésiter. Elle avait proposé 14 heures chez elle et j'avais accepté sans hésiter. Elle aurait pu me proposer n'importe quoi, j'aurais accepté sans hésiter. Parce que mon cœur battait, non plus comme un crétin malheureux, mais comme un fruit plein de sucre.

L'après-midi, la nuit et le matin ont passé tranquillement, sans que je sois inquiète ou trop impatiente de la revoir. Je suis restée avec ma grand-mère, à jouer aux cartes, à écosser des haricots, à regarder son feuilleton de 15 heures et celui de 19 heures. On a très peu parlé : ce qu'elle voulait, je le sentais, c'était juste qu'on soit ensemble comme avant.

Mais à midi, à la fin du repas, elle pose sa tasse de café à côté de moi et, sans préambule, elle me demande comment est ma nouvelle vie entre deux maisons. Elle le demande timidement, sans sourire Mamie Nova, sans faire comme si. Je la sens tout à coup aussi fragile que Nina l'était et je comprends que, de nous tous, c'est elle qui souffre le plus : pas vraiment du divorce ; plutôt d'avoir découvert que son fils n'est pas celui qu'elle croyait. Je prends sa main, l'embrasse :

— Tu dois pas t'inquiéter : tout va super bien !

Je garde sa main et je la serre. En le faisant, j'ai une sensation bizarre : je me dis qu'à mon âge je connais la vie mieux que ma grand-mère.

— L'essentiel, c'est que tu sois pas trop malheu reuse, elle dit tristement.

— Tu sais, il s'occupe bien de moi. Et puis je lui en veux pas : ça arrive que les hommes et les femmes se séparent, c'est pas la fin du monde.

Cette fois, c'est elle qui serre ma main. Puis elle m'attire contre elle pour me prendre dans ses bras.

— Tu es courageuse, ma chérie.

Nos deux poitrines se soulèvent en chœur et je ne devrais penser qu'à la consoler. À sentir un corps si proche du mien, je me revois couchée sur Nina et je commence à être nerveuse. Heureusement, en regardant par-dessus son épaule, je vois à la pendule qu'il est 13 h 30.

— Il faut que j'y aille, mamie. Je me suis fait une copine, hier, et elle m'a invitée chez elle.

J'ai encore une drôle de sensation en lui disant ça. J'ai le sentiment de l'abandonner, de la tromper, de tromper Nina aussi. Je me fais penser à mon père avec ma mère. Si bien qu'il faut que je me secoue pour me lever.

Tout en enfilant ma veste, je lui explique comment j'ai rencontré Albertine. Mais, une fois prête, je n'ai plus de raison de rester plantée devant elle. Alors je lui fais un petit signe de la main. Je suis triste. Je me doute qu'elle aurait aimé que je reste avec elle, même si, bien sûr, elle ne demande rien. Au contraire, elle sourit et me souhaite de bien m'amuser avec ma nouvelle amie.

Je pédale très lentement. Je fais même un long détour pour éviter la maison de Nina, ce qui fait que je me perds et qu'il me faut un temps fou pour retrouver le quartier d'Albertine, un quartier résidentiel qui a été construit il y a à peine un an, assez loin du centre. C'est étrange d'être dans ma ville et de découvrir que je ne la connais plus aussi bien qu'avant. Combien de personnes l'ont quittée, comme moi? Combien s'y sont installées, comme Albertine? Si j'en juge par sa rue, où j'arrive finalement avec une bonne demi-heure de retard, il y en a beaucoup.

Devant le numéro 12 bis, je laisse mon vélo et j'entre dans le jardin, gênée de ne pas être à l'heure à notre premier rendez-vous. Mais, dès que la porte s'ouvre, ma gêne devient bibendumesque parce que j'entre dans un autre monde: les murs de l'entrée sont couverts de tableaux et Albertine m'accueille dans une superbe robe bleue assortie à ses yeux. En plus, quand elle me dit: «Salut! Je t'attendais plus, tu sais!», sa voix me fait le même effet que la veille et je suis littéralement tétanisée.

Dans le salon, c'est pire: il y a des livres et des disques partout. Il y a des centaines de statuettes en bois posées sur des meubles incroyables. Sans parler des tapis, qui me paraissent venir directement d'un château. J'avance en m'arrêtant devant chaque objet, sous les regards amusés d'Albertine.

— On dirait que tu es dans un musée… elle dit au bout d'un moment.

C'est vrai. Cependant, pour ne pas avoir l'air trop

idiot, je dis que j'adore les arts et que tout, ici, me bouleverse. Je sens que je m'applique dans ma phrase comme si j'étais à l'école, ce qui n'échappe pas à Albertine et me rend un peu plus nerveuse. C'est la seconde fois que j'ai le sentiment d'être inférieure à elle, et la première fois de ma vie que quelqu'un me fait cet effet-là. Quand, en plus, elle m'explique qu'on a la maison pour nous toutes seules parce que, tous les après-midi, sa mère fait un stage de sculpture sur bois et que son père va donner des cours de piano, j'ai franchement envie de déguerpir. Par politesse ou manque de courage, je reste quand même. Mais en me promettant de ne jamais revenir.

Dans sa robe bleue, sans avoir l'air de se rendre compte que je ne suis pas au sommet de la décontraction, Albertine va s'affaler dans des coussins, au pied d'un canapé beige en velours. Je n'ai pas d'autre idée que de l'imiter, comme Nina m'imitait. En fait, je m'attends presque à ce qu'elle me dise : «Viens!», d'une voix qui ordonnerait, et une fois de plus je me revois avec Nina sous la tente, en train de la regarder se déshabiller. J'ai un mélange d'excitation et de peur que j'arrive à cacher, en plongeant le nez dans mes chaussures, que j'ai décidé d'enlever pour ne pas salir.

Ce que je ne veux pas encore m'avouer, c'est que je suis sous le charme de la voix d'Albertine, comme j'ai été possédée par la peau transparente de Nina. Une peau que je suis loin d'oublier, mais qui peut s'estomper devant une autre. Alors, je finis par m'installer tout à fait, en me calant comme Albertine au pied du canapé. Là, elle ne me dit pas: «Viens!» Elle dit: «Tu veux que je te lise un truc?» Puisqu'il n'est pas question que je joue à l'étonnée, je réponds: «OK», comme si j'étais habituée à ce qu'on me fasse la lecture tous les jours.

— Tu aimes lire, toi? elle me demande.

— J'adore!

On se sourit, heureuses de ce point commun, et je me détends un petit peu.

— Tu es bien assise comme ça?

En guise de réponse, j'attrape un coussin que je glisse derrière ma tête, puis je ferme les yeux. Car je suis prête à me laisser bercer par sa voix. Car je veux aimer une autre fille que Nina. Et, lorsqu'elle commence sa lecture, il est évident que je n'aurai pas à me forcer: à partir de maintenant, c'est là et nulle part ailleurs que je voudrai être chaque jour.

4

Tous les après-midi, de 15 heures à 18 heures, je vais retrouver Albertine chez elle.

Au milieu des disques, des statuettes et des tapis, je me sens de plus en plus chez moi, même si je n'ose toujours pas dire que ma mère est esthéticienne et que mon père vend des chaussures. De toute façon, soit qu'Albertine s'en fiche, soit qu'elle ait vu que je ne voulais pas aborder le sujet, elle ne me pose aucune question sur eux.

Quand j'ai téléphoné à Marilyne pour lui raconter mon nouvel amour, je lui ai aussi parlé de ma honte à évoquer mes parents. Aussitôt, elle m'a rappelé son credo sur l'esthétique et la peinture et elle m'a un peu engueulée.

— Tu crois pas que le plus important, c'est ce qui se passe entre vous ? Ça avance comment, cette histoire : elle veut ou elle veut pas ?

Je n'avais encore rien essayé à ce moment-là. Parce que, si je commençais à m'habituer à la maison, j'étais trop fascinée par la musique qu'Albertine me faisait découvrir. C'étaient les disques achetés par son père, «la meilleure interprétation, tu sais», elle précisait à chaque disque. Et, quand elle disait des phrases de ce genre, j'étais reprise par mon sentiment d'infériorité. En même temps, je mémorisais chaque nom comme un trésor: Bach, Vivaldi, Mozart…. J'écoutais tout sans rien connaître. Je laissais les notes entrer directement dans mon cœur. Sans que je le décide, j'ai tout de suite eu un faible pour la musique sacrée. Bach et *La Passion selon saint Matthieu* surtout. La première fois que je l'ai écoutée, j'ai vécu une sorte d'extase que je n'oublierai jamais.

C'était ma cinquième rencontre avec Albertine. On était sur le canapé, assises l'une à côté de l'autre, et par hasard mes yeux se sont posés sur ses tétons pointus. Elle avait un tee-shirt hypermoulant comme d'habitude, mais en plus il était décolleté. Elle fermait les yeux. Ses pieds étaient ramenés près de ses fesses. Tout me semblait beau, enveloppé de la grâce que j'avais rejetée en arrêtant de prier. C'était un moment magnifique, qui me donnait l'impression de me retrouver. Une sorte de communion. J'ai posé alors ma main sur son épaule, et j'ai fait aller doucement mes doigts sur sa peau, au rythme de la musique.

Non seulement elle n'a pas refusé ma caresse, mais elle a poussé un petit soupir de contentement qui m'a rendue folle. Sans réfléchir, je me suis jetée sur elle. Je l'ai enfourchée et je me suis collée contre son corps, pressant ma bouche contre ses lèvres encore fermées, frottant mon sexe sur sa poitrine, sur ses cuisses…. Jusqu'à ce que, violemment, des deux mains, elle me repousse.

— T'es cinglée ou quoi ?

À califourchon sur elle, je restais sans rien dire. Je me retrouvais honteuse et bête comme le jour près de la cabane, quand Nina avait utilisé les mêmes mots. À la différence que, là, je ne comprenais plus rien. Parce que je n'avais pas rêvé : Albertine avait bien accepté ma main sur son épaule, avait bien poussé un soupir qui disait oui ! En plus, elle me regardait sans avoir l'air fâché. Elle ressemblait plutôt à quelqu'un qui réfléchissait avant de prendre une décision. À la fin, entre ses mains qui m'avaient dit non, elle a pris mon visage.

— Regarde ! Il faut faire comme ça !

Elle m'a d'abord caressé les joues. Puis, lentement, elle a approché ma bouche de sa bouche. Là, elle a fait aller sa langue sur mes lèvres, puis, lorsque je les ai entrouvertes, elle l'a fait glisser sur mes dents avant de l'enfouir tout entière dans ma bouche, où elle l'a fait tourner avec douceur puis passion puis douceur, pour finir par un léger baiser sur mes lèvres humides.

— Voilà! Tu aimes?

Je restais muette de plaisir.

— Ohé! Je t'ai posé une question…

Elle agitait sa main devant mon visage.

— Où t'as appris ça? je n'ai pu que demander.

— T'occupe! Tu aimes?

— Peut-être qu'il faut recommencer pour que je sache vraiment…

Cette fois, on s'est allongées. Côte à côte, nos doigts caressant nos mamelons, on a recommencé des dizaines de fois. Entre chaque baiser, on riait en se regardant dans les yeux. L'envie de me frotter était montée dans ma bouche. Mais je prenais le temps de la vivre. Sans même chercher à la calmer.

5

Chaque jour, Albertine me fait découvrir une chose nouvelle. Elle dit que, pour bien faire l'amour, il faut savoir donner autant que recevoir. Si bien que j'apprends à lui donner les plaisirs qu'avec Nina je ne faisais que prendre. Je me découvre sensuelle et je voudrais crier au monde que j'aime Albertine.

Dans la réalité, je ne dis rien. Avec elle, je parle peu, j'écoute : la musique qu'elle choisit, son enfance, son envie de ne plus être fille unique, ses anciennes copines, ses pays préférés, sa peur de la rentrée... De temps en temps, elle me lit, comme le premier jour, un passage de livre. Je bois ses mots et j'aspire sa voix. Maintenant, je connais Proust et son amour pour Albertine. Je connais Prévert et Camus et Boris Vian. Je ne cherche même plus à cacher que je les découvre tous : je suis entre ses mains et tout ce qu'elle me donne est bon. Le soir, je continue d'être avec elle en lisant les livres qu'elle me prête, en cachette de son père. Jamais de ma vie je n'ai été aussi bien.

Un matin pourtant, en lisant les dernières pages de *L'Étranger*, je prends conscience que ce qu'elle me fait lire est toujours écrit par des hommes, et je me lève de mauvaise humeur. J'essaie d'appeler Marilyne pour lui demander ce qu'elle pense d'une homo qui ne lit pas de livres de femmes, mais, comme un fait exprès, son portable sonne dans le vide. J'ai beau m'acharner toute la matinée, l'heure de mon rendez-vous avec Albertine arrive sans que j'aie pu lui parler.

Sur mon vélo, je me sens mal. Cette histoire de livres m'obsède. Plus le temps passe, plus je la trouve capitale, et, lorsque je sonne à la porte d'Albertine, je suis vraiment énervée. J'entre en me mordant les lèvres. Dans l'entrée, je l'embrasse rapidement, puis je vais m'asseoir sur le canapé, où elle vient me rejoindre, câline mais un peu sur ses gardes. De mon sac, je sors le livre de Camus.

— Tiens ! Je l'ai fini.

— Et tu as pas aimé, vu ta tête !...

— Si, si, c'est pas mal. Je me demande juste pourquoi tu lis que des livres de mecs. Il sait pas, ton père, qu'il y a des écrivains femmes?

Je n'ai pas pu contrôler le ton de ma voix ni le choix de mes mots. En même temps, l'une de mes mains est allée se poser sur le bras d'Albertine et elle s'y promène. Au contact de sa peau, je regrette ma question. J'ai une envie folle de la déshabiller et de la caresser. Sauf que, bien sûr, elle s'est écartée et elle est déjà en train de me répondre, avec des yeux aussi agressifs que ma phrase l'a été.

— C'est vraiment con, ce que tu dis.

Je rougis un peu, vexée mais décidée à ne pas me laisser faire. J'ai autant envie d'elle que de lui prouver que, justement, je ne suis pas aussi conne qu'elle le croit. C'est comme si, en terminant Camus, j'avais tourné une page entre elle et moi. Je sens d'une façon évidente et effrayante que l'amour, comme les larmes, comme le sang des règles, peut s'arrêter sans prévenir.

— Ah oui, et pourquoi c'est con? je réplique en quittant le dossier du canapé.

— Parce que l'art n'est ni féminin ni masculin.

Elle s'est redressée, elle aussi. Son visage sérieux et dur me rappelle celui de Nina, encore, le jour de la cabane. Je me demande presque si je n'ai pas envie ou besoin de revivre cette scène-là. Quoi qu'il en soit, la réponse d'Albertine me laisse sans voix parce que je ne la trouve pas idiote du tout. Mais je suis prise à mon propre piège : il est impossible que je lui dise, maintenant, qu'elle a raison.

— N'empêche que tout ce que tu écoutes et tout ce que tu lis, c'est fait par des mecs. Et quand on est comme nous, on devrait préférer les artistes femmes.

Je me sens fière de lui tenir tête. Même si je vois bien que la partie n'est pas gagnée puisque Albertine a du répondant et qu'elle m'observe avec un mélange d'ironie et d'étonnement.

— « Comme nous » ? Ça veut dire quoi, au juste ?

Je m'attendais à tout sauf à cette réponse. Du coup, je me mets à bafouiller.

— Ben, ce qu'on est, quoi !

— Je vois pas.

Ses mots ont la violence d'une mitraillette. En plus, elle a pris un air narquois qui me déstabilise. Je ne sais plus quoi faire, plus quoi dire. Est-ce qu'elle fait exprès de ne pas comprendre ? Pour arrêter tout ça, j'essaie de prendre sa main. Elle la retire aussitôt.

— Je vois pas, je t'ai dit.

Cette fois, elle insiste sur chaque syllabe et, bizarrement, à ce moment-là, sa voix me fait fondre. Je suis reprise par l'envie de l'écouter et de la toucher. Qu'est-ce que je veux à la fin? Et qu'est-ce que je peux lui répondre d'autre que ce que j'avais déjà dit à Nina?

— Ben... des homosexuelles.

J'ai dit le mot tout bas, en fuyant son regard. Je m'en veux de ne pas l'avoir crié quand Marilyne m'a appris à en être fière. Mais Albertine a des yeux si consternés, si choqués que je me sens glisser, comme avant, dans un gouffre de honte.

— Des homosexuelles? Nous?

Elle parle aussi bas que moi et répète la phrase deux ou trois fois avant de reprendre une voix normale.

— Pourquoi tu dis un truc pareil?

Elle me fixe, comme si elle cherchait la réponse sur mon visage. Moi, je connais la suite de la scène. Je sais que je n'ai plus qu'à partir, que tout est fini, terminé, écroulé. J'ai obtenu ce que je voulais? Oui? Peut-être? Je suis encore incapable de le savoir. Ce qui est certain, c'est que ça me fait plus mal qu'avec Nina. Parce que c'est la seconde fois que je me trompe.

— Pourquoi tu dis ça? elle reprend.

Elle appuie de nouveau sur chaque syllabe. Je baisse la tête. Je me déteste de ne pas avoir la force de me lever et de partir. Effondrée, je m'entends lui répondre:

— Enfin, tu vois bien ce qu'on fait ensemble?

J'ai pris une voix de pauvre fille en faute. Si Marilyne me voyait, elle n'en croirait pas ses yeux.

— S'embrasser, tu veux dire?

Elle insiste, ne lâchera pas. J'entortille mes cheveux au bout de mes doigts. J'ai les mains moites et envie de pleurer. En même temps, j'en ai marre, tellement marre de vivre encore ça... Je me sens comme une victime devant son bourreau, obligée de dire l'évidence. Je murmure.

— Ben oui. Et le reste.

— Vas-y! Dis les mots exacts: c'est quoi le reste?

Elle ressemble à une prof maintenant. Et finalement, elle fait bien de prendre cet air-là parce que ça m'énerve tellement que je reprends un peu courage.

— Des filles qui se mettent nues, qui s'embrassent et qui se caressent, comment tu les appelles, toi? je balance.

— Des filles qui font leur éducation sexuelle.

Elle a répondu sans une seconde d'hésitation, le

visage et les épaules bien relevés, bien droits. J'accuse le coup en disant:

— OK!

Puis, dans un sursaut de dignité, je finis par dire:

— J'espère que l'apprentissage a été bon. Que tu seras au point pour les mecs, je veux dire.

— Fais pas cette tête-là: il y a rien de tragique.

Tout à coup, elle a retrouvé sa gentillesse. Ses yeux vert-bleu sont presque tendres. Peut-être qu'elle voudrait que l'on fasse une nouvelle séance d'entraînement? Je me lève. Je vais chercher mes chaussures et je les enfile sans la regarder.

— Tu t'en vas?

Sa voix me trouble encore un peu mais je ne lui réponds pas. Je veux seulement pouvoir lui jeter une phrase d'adieu sans trémolos dans la voix. Lorsque j'ai enfilé mes baskets, je vais donc me poster bien en face d'elle et je lui tends la main. J'ai un peu l'impression d'en faire trop, mais tant pis!

— J'ai été contente de te connaître. Merci pour les disques et tout.

C'est bien: ma voix est placée comme je le veux et ma main ne tremble pas. Ma main qu'elle regarde seulement. Qu'elle refuse en poussant un petit «pffff» accompagné d'un haussement d'épaules. Je me dis alors que je n'ai pas su lui prouver que je n'étais pas aussi conne qu'elle le croyait. J'ai même fait tout le contraire.

Si bien que, moi aussi, je hausse les épaules. Puis j'avance jusqu'à l'entrée. Et je ferme la porte sur son visage sans amour.

6

Le lendemain, je traîne dans mon lit et je me lève vers midi. À la télévision, c'est l'heure des jeux que ma grand-mère suit tous les jours, accoudée à la table en Formica bleue de sa cuisine. Du couloir, sans qu'elle m'ait vue arriver, je l'observe. Elle a un air de fossile ; je suis d'ailleurs sûre que, en regardant bien, on doit apercevoir les traces de ses coudes incrustées dans la table. Je fais un pas pour entrer.

— Ah, te voilà !

Elle quitte l'écran des yeux et me fixe avec inquiétude.

— Je finissais par me demander si t'étais pas malade.

En me forçant à sourire, je vais lui faire une bise qui claque. Puis je m'étire et je prononce la phrase magique :

— Je meurs de faim, tu sais!

Son «aaaaahh!» de contentement est sincère et parvient à me faire rire pour de vrai. En deux minutes, je me retrouve avec un lait chicorée, du pâté en croûte et des tonnes de tartines beurrées devant moi. Je mange de tout pendant qu'elle jette un œil sur l'émission et l'autre sur mon assiette. M'empiffrer me fait un bien fou, surtout devant une spectatrice aussi bon public. À certains moments, je m'étire encore, je bâille encore. Je me sens gamine et animale à la fois. Puis, quand même, mon ventre me rappelle qu'il y a des limites à tout. En m'étirant une dernière fois, je propose à tout hasard qu'on aille au salon, parce qu'on sera mieux devant la grande télé.

— Mais ta copine, tu la vois pas aujourd'hui?

— Ben non, pour les deux jours qui me restent, je veux rester avec toi.

Je joue à la bonne petite et, forcément, ma grand-mère n'y voit que du feu et est contente. Avec elle, la vie est facile. Avec Marilyne aussi, tout devient simple. Quand je l'ai appelée la veille, elle est arrivée à me faire rire en me racontant les fois où, comme elle le dit, elle s'est pris des gamelles avec des hétéros.

Mais, devant l'écran géant et les émissions débiles de la une, mon moral chute lamentablement. En plus, je me souviens tout à coup que, si je pars dans deux jours, cela veut dire que Nina revient aujourd'hui. Devant les images du Tour de France qui se mettent à défiler, je rumine comme une vache. J'ai une peur bleue de la revoir et je n'arrête pas de me demander pourquoi je ne suis pas fichue de tomber amoureuse des filles qu'il me faudrait.

Ma grand-mère, elle, se fiche de tout ça. Elle dort. En ronflant un tout petit peu. Sur l'écran, un homme en sueur peine à gravir une côte. Des veines vertes apparaissent sous sa peau luisante. Ses muscles se tendent à chaque coup de pédale. De ses cheveux n'apparaissent que quelques mèches, éparses autour de sa casquette. Je ne peux pas voir ses yeux, cachés par des lunettes, mais je vois ses tempes. Et sa bouche. Contractée et soufflante. Crispée sous l'effort.

Poussée par une idée bizarre, je me lève sans bruit et je me dirige vers l'écran. Ma grand-mère dort toujours, j'approche ma bouche de celle de l'homme. Je plaque mes lèvres sur les siennes et je reste ainsi, à tourner ma tête à droite et à gauche.

Puis je retourne à ma place. Je ne ressens rien de

particulier. Juste la vague impression d'avoir échappé à deux minutes d'ennui.

Alors je vais dans la cuisine. J'ouvre la fenêtre en grand. Les volets sont fermés, «pour garder le frais à l'intérieur de la maison», dit ma grand-mère. Je les ouvre eux aussi. Je refuse de vivre comme toutes ces imbéciles qui veulent aller se mettre entre les cuisses d'un mâle. Imbéciles qui seront comme les femmes de mon père, à faire des courbettes pour séduire.

Je me sers une grenadine et, assise sur le rebord de la fenêtre, je prends une pose de garçon. J'aimerais cracher. Très loin sur les rosiers. Prendre l'air que les filles recherchent, je peux. Je peux durcir mes yeux, me couper les cheveux très court, acheter des jeans pour hommes, avoir une démarche de cow-boy. Je peux s'il s'agit de leur plaire. Puisque je suis idiote moi aussi.

— À la tienne!

Je sursaute, mais c'est seulement pour me donner un genre. En réalité, j'avais entendu la porte d'entrée s'ouvrir et j'avais reconnu sa démarche. Mais donc, je sursaute :

— Aaaah! Tu m'as fait peur.

J'aime ces situations. La prof de français nous a appris cette année qu'elles s'appelaient des «situations phatiques». On utilise les mots pour qu'ils ne disent rien d'autre que: «OK! Message reçu. Tu es là, je suis là: tout va bien.» Et en effet, Nina est là et moi aussi. Elle, debout et souriante comme une photo de mode, les yeux maquillés et pétillants, dans une jupe hypercourte qui laisse voir ses jambes bronzées. Moi, toujours sur le rebord de la fenêtre, cherchant à cacher mon crétin de cœur en bandoulière.

— Les boules de revenir ici! T'es toute seule?

Elle tire une chaise et s'assoit, jambes croisées.

— Mamie fait sa sieste.

Est-ce qu'elle se rappelle, Nina, ce qu'on faisait ensemble, avant, à cette heure-là? Est-ce qu'elle a pensé à moi pendant cette année où on ne s'est plus parlé? Je me mords la lèvre et je me force à dire n'importe quoi.

— Je croyais que tu rentrais que ce soir!

— C'est mon père: pour éviter les embouteillages, tu vois le genre?...

On hoche la tête toutes les deux. Elle caresse ses jambes bronzées.

— T'as vu ça un peu? Par contre, toi, t'es blanche de chez blanche. Ç'a été avec mamie?

Je hausse les épaules pour dire ni oui ni non.

— Bon, ben viens : on bouge !

Nos pas sur le gravier... Bien sûr, ils sont les mêmes qu'avant.

— On va où ? elle demande en faisant craquer ses doigts.

— Arrête ! Pourquoi tu fais ça ?

— J'en sais rien. Commence pas avec tes questions à la noix !

Je dis : «OK !» dans ma tête. À elle, je suggère :

— On n'a qu'à marcher !

J'enfonce mes deux mains dans mes poches, histoire de montrer que je suis détendue. Elle siffle en me regardant de la tête aux pieds.

— Ben dis donc, t'es canon avec ton fute. Combien tu pèses maintenant ?

Je dis mon poids et elle siffle encore.

— Je te l'avais dit. Au fait, moi aussi, je les ai maintenant. Mais t'as vu, je suis toujours aussi maigre...

J'ai vu. Je vois même qu'elle ressemble à une fille de magazine. Elle est prête pour la Star Ac', Nina. Je suis triste et heureuse à la fois : je sais que ma vie n'est plus dans ce village, qu'elle n'est plus dans l'enfance. Alors, comme avec ma grand-mère, je me mets à parler pour parler, parce qu'il faut bien.

— Et tes vacances, alors?

Immédiatement, elle me fait un clin d'œil et lance un «Super génial!» auquel je réponds par un «Raconte!», en imitant son ton enjoué et fabriqué.

Tout en marchant, elle n'en finit pas de parler. J'entends un brouhaha de mots jusqu'à cette phrase:

— J'ai eu mon premier mec là-bas. Regarde!

Je n'ai pas le temps de trop souffrir parce que je dois regarder une photo. Ils sont ensemble. Deux visages collés qui regardent un objectif.

— Il est canon, hein?

Je dis oui de la tête. Il a les yeux marron, comme moi. Les cheveux bruns et frisés, comme moi. Mais ce n'est pas moi: c'est lui.

— Il s'appelle comment?

Je dois m'intéresser. Dans deux jours, je ne serai plus là, mais en attendant, il le faut.

— Antonio…

Elle a prononcé son prénom comme le font les femmes dans les téléfilms de ma grand-mère: les yeux fixés sur un lointain qui se veut profond, puis en gardant un petit silence solennel à la fin, le temps que le prénom s'envole puis revienne.

— Et comment c'était? Raconte!

Je feins la fébrilité. À moins que je ne feigne pas

autant que cela parce que, au fond, j'ai envie de tout savoir.

Autour de nous, les rues sont presque vides. Les murs de brique sont ternes sous le soleil pâle.

— C'est long, tu sais : faut aller s'asseoir.

Sur un banc, j'ai droit à tous les détails de leur premier baiser. Elle me raconte comment ils ont fait pour échapper à leurs parents et sortir la nuit. Les slows, les longues étreintes sous les étoiles, ses mains à lui sous ses jupes à elle. Des mains douces, si je savais ! Et puis le dernier soir. Lorsqu'elle le laisse mettre sa main dans sa culotte.

À ce moment-là, je ne peux plus l'écouter. Je l'interromps en disant qu'il est tard et que je dois aller préparer mes bagages.

— Au fait, ta mère, ça va ?

Je n'avais pas pensé que j'arriverais à détourner la conversation aussi facilement. Je pars donc dans des explications longues et inutiles. Arrivée dans la cour, je suis à bout de salive, mais Nina m'a écoutée sans broncher, heureuse peut-être de m'avoir entendue parler de tout sauf de nous.

Du couloir, on entend des bruits de casseroles, signe que notre grand-mère est réveillée et qu'elle est en train de cuisiner. En une fraction de seconde, Nina oublie son côté Star Ac'-jeune branchée et elle se précipite dans la cuisine avec un visage de petite fille. Toutes les deux, elles s'embrassent et se disent tout ce qu'on doit se dire quand on se retrouve après des vacances. Moi, je me sens étrangère. Partie déjà. Pourtant, ma grand-mère prépare une charlotte au chocolat et tout pourrait être normal. Je ne sais pas quoi faire d'autre que d'aller m'asseoir près du plat.

— Tu attends de pouvoir le lécher, hein?

Se dégageant des bras de Nina, ma grand-mère me regarde avec tendresse. Décidément, tout va bien : sans chercher, je fais tout ce qu'il faut pour que les choses prennent un tour tranquille.

— Tu as toujours été gourmande. Comme ton père.

Une énième fois, elle se lance dans le récit du jour où mon père avait mangé une tablette de chocolat alors qu'il revenait d'un énorme repas de communion. Je souris pour la forme, puis je dis que je vais aller prendre une douche.

Sous l'eau, je me frotte. Je me donne un plaisir long et intense. Je pense à ce que ma grand-mère dit de moi et de mon père. Je pense qu'on est gourmands tous les deux. Et je reste sous le jet de la douche jusqu'à en avoir la peau ramollie.

Quand je reviens à la cuisine, c'est Nina qui lèche le plat. La serviette avec laquelle j'ai enturbanné mes cheveux me donne l'impression d'être un sultan et, si l'on était encore «les inséparables», j'inventerais une histoire *Mille et Une Nuits* qui nous ferait sûrement rire. Au lieu de ça, je l'écoute raconter les aventures de son père, quand il est allé pêcher en mer, quand il a appris à nager, quand il a pris des coups de soleil i-ni-ma-gi-na-bles... En même temps, je mets moi aussi mon index dans le plat et je m'amuse à chasser son doigt pour récupérer le chocolat qu'elle veut prendre. Bientôt, on bataille toutes les deux, sous les yeux attendris de notre grand-mère.

IV

1

— Règle numéro un : les yeux !

Marilyne et moi, on est assises à la terrasse de son café habituel en face des Arts déco. Ma mère a accepté qu'on fasse les courses de rentrée ensemble, ce qu'on a fait le plus vite que l'on pouvait, pour avoir le temps de se consacrer à l'essentiel : savoir comment je pourrais éviter de me prendre un troisième râteau.

— OK ! Mais quoi avec les yeux ?

— Tout est affaire de regard. Dès que tu en vois une qui te plaît, tu plantes tes yeux dans les siens et tu insistes jusqu'à ce qu'elle te sourie ou qu'elle s'enfuie.

— J'ai fait comme ça avec Albertine, et tu as vu le résultat !

— Attends ! J'ai dit : «Règle numéro un.» Donc, forcément, il y a au moins une règle numéro deux.

Et celle-là, elle est de taille : c'est la règle-des-ques-tions-clés.

Je ne vois pas pourquoi elle prend un air de cérémonie pour me parler de « questions clés », la prof de français nous a fait travailler là-dessus toute l'année dernière. Mais bon ! Je me renfonce un peu sur ma chaise, pour montrer que je l'écoute vraiment.

— Ce que je veux dire, c'est que, si tu veux éli-miner les hétéros, il faut oser poser des questions directes. Par exemple, tu peux leur demander si elles lisent Anaïs Nin ou d'autres auteurs de cette veine.

Je fais une moue que Marilyne rattrape au vol.

— Oui, je sais : avec Albertine, tu l'as fait et ça n'a pas marché. C'est parce qu'il faut le faire bien plus tôt.

— OK, et si elles lisent pas ?

— Là, tu laisses tout de suite tomber ! Je rigole, mais à peine : une fille qui ne lit pas, il y a des chances pour que ce soit une sportive ou une pas-sive ; et dans les deux cas, je ne pense pas que ce soit ton style.

— Ben, les sportives, l'avantage, c'est qu'elles sont jolies. Mais t'as raison : je préfère quand on peut parler après l'amour.

— Alors, pas une seconde à perdre : tu passes aux questions encore plus directes. La deuxième ou la troisième fois que tu rencontres la fille seule à seule, tu lui demandes ce qu'elle pense de la Gay Pride, ou du mariage des homosexuels, ou tu expliques que tu as une tante lesbienne, et tu vois comment elle réagit. Une homo comprendra que tu tâtes le terrain.

Tout cela me semble assez logique et facile, mais après ? Quand je pose la question à Marilyne, elle prend un sourire de Joconde.

— Après, c'est comme toutes les histoires : il y en a des bonnes et des moins bonnes, des horribles et des magnifiques... À ce niveau-là, homos ou hétéros, on se ressemble.

— Et au collège, si on repère que je suis homo ?

— Ah ! Ça, c'est le vrai problème ! Il faut que tu sois extrêmement discrète, parce que, si tu es épinglée homo : un, tes parents seront mis au courant, et deux, tu auras tout le monde sur le dos. Je te conseille de draguer à l'extérieur. Et puis d'être un peu patiente.

Le jour de la rentrée, je suis pourtant bien décidée à transformer le collège en agence matrimoniale, et à compléter les règles de Marilyne par quelques «règles de Zoé». En «un», par exemple, j'ai mis le look, parce que je crois qu'il est important dans l'histoire du premier regard. J'ai d'ailleurs fait plaisir à ma mère en lui demandant d'aller chez le coiffeur. Maintenant, j'ai les cheveux plus courts et elle adore. Quant à mon père, il imagine que le fait de m'occuper de moi égale «Zoé commence à s'intéresser aux garçons». Côté parents, je n'ai donc pas de soucis. Même, ils n'arrêtent pas de me dire qu'ils me trouvent en pleine forme depuis mon retour de vacances. Ce qui n'est pas faux. Nina est enfin de l'histoire ancienne. Vu tout ce qu'elle m'a appris, Albertine est finalement un bon souvenir. En fait, c'est bizarre : j'ai l'impression que, depuis qu'on m'a coupé les cheveux, l'intérieur de ma tête a changé en même temps que l'extérieur.

Dans la rue, je marche avec mon nouveau jean et un tee-shirt kaki, et j'ai opté pour une démarche traînante qui me donne un air décontracté et viril à la fois. Dans mon sac, j'ai un paquet de cigarettes presque terminé que j'ai volé à mon père.

Comme je suis partie aux aurores, j'arrive très en avance. Je m'assieds sur le trottoir presque en face de la grille et je sors mon paquet de Marlboro. Je le pose à côté de moi, franchement en vue. Mon plan, c'est que les fumeuses puissent venir m'en demander et que ça me serve d'appât.

Mais j'aurais dû penser qu'un jour de rentrée il y aurait une telle pagaille de voitures, d'embouteillages et d'embrassades que, mon paquet et moi, on ferait potiches sur le trottoir. Pourtant, je suis loin d'être déçue. De là où je suis, je vois tout sans être vue : je peux repérer les nouvelles qui me plaisent et bien regarder les anciennes, celles que j'ai copieusement évitées depuis deux ans, dans mes délires de fidélité pour Nina.

Quand j'entends la sonnerie, je me lève et j'entre. Je passe la grille la tête haute, les pieds traînant toujours. Je fais exprès de laisser mon sac à dos se balancer sur mon épaule. C'est un autre de mes plans : si j'ai envie de parler à une fille, je ferai semblant de la bousculer, je m'excuserai et je me mettrai à discuter avec elle. Le coup du mouchoir qui tombe, mais en plus moderne.

La «ronde des profs» commence dans la cour. Un à un, ils apparaissent sur le perron et hurlent un nom de classe, puis : «Je suis votre professeur principal. À l'appel de votre nom, vous vous regrouperez devant moi. » Chaque rentrée, c'est la même chose : ça me rappelle la maternelle sans les parents. Comme si toutes ces informations ne pouvaient pas être écrites sur des panneaux ! On irait nous-mêmes dans les salles et on éviterait ce bazar. Mais non ! À croire qu'une loi a décrété que les profs devaient être des bêtes hurlantes.

Puisque je ne vais pas faire la révolution, en tout cas pas le premier jour, quand j'entends mon nom, j'obéis. Je rejoins un groupe dans lequel je reconnais presque tous les visages. Il y en a d'ailleurs un qui pourrait me plaire, mais je connais la fille : son seul sujet de conversation, c'est Zidane ou l'OM… Alors, j'essaie de ne rien perdre de la constitution des autres groupes de troisième. Je gesticule de droite à gauche. Parfois, pour voir un corps en entier, essayer d'accrocher un regard, je me mets sur la pointe des pieds. Tant et si bien que je perds l'équilibre et que mon sac à dos va cogner l'épaule du garçon juste à côté de moi.

— Oh ! Excuse !

Je n'arrive pas à garder mon sérieux. Je pouffe de rire sur le « -use ».

— Trop fun, pourquoi tu te marres ?

Je m'arrête instantanément. Comment dire à ce

type que je voulais qu'il soit une fille? Je reste donc devant lui, aussi dépitée qu'une assiette pleine devant une anorexique. Si bien que c'est lui qui se met à rire. Un rire clair comme ses yeux.

— Moi aussi, j'aime bien me marrer. Je m'appelle Sébastien, mais on m'appelle Seb. Et toi?

Pour arrêter d'avoir l'air trop bête, je lui dis mon prénom.

— Ça te va bien, Zoé. C'est fun. T'es nouvelle?

Lui et moi, on n'a pas exactement le même vocabulaire mais, pour une fois, je n'ai pas peur devant un garçon. Il a un visage fin qui ressemble à celui d'une fille. Des cheveux mi-longs avec une jolie mèche qui tombe sans arrêt sur des yeux comme je les aime.

— Tu parles! Je suis là depuis la sixième.

— Trop fun! Tu vas pouvoir tout me raconter sur les profs. Tu fais quoi comme deuxième langue?

— Espagnol.

— Du latin, aussi?

— Ouais.

— Trop fun! On va être dans le même groupe… Vraiment trop fun!

Comme il y a une limite à tout, je fais mine de m'éloigner.

— Tu vas où ?

J'ai envie de lui envoyer un «trop fun» dans les dents, mais quelque chose me retient. Sans chercher à comprendre ce que c'est, je me lance un *«Alea jacta est»* et je m'arrête. Je me rends compte à ce moment-là qu'il est en train de regarder mon jean et que, sous mon jean, il y a mes formes.

— Je crois qu'il faut rentrer.

Je reconnais à peine ma voix. Elle a pris une courbe de danseuse.

— T'as raison, Zoé. Pas le moment de se faire remarquer le premier jour.

Je ne rêve pas. Seb a pris ma main et il m'entraîne dans le couloir. Seb a pris ma main et je ne fais rien pour la retirer. Je n'ai pas envie de lui crier: «Je suis homosexuelle, tire-toi! » J'ai plutôt envie de le suivre. De m'asseoir à côté de lui. De le regarder relever sa mèche. Sortir un stylo de sa trousse usée. Écrire sur la fiche d'identité que les nouveaux doivent remplir: «Sébastien VIDAL, né à Paris le 30 avril 1991.» De temps en temps, il me glisse un truc à l'oreille et je souris, pas de ce qu'il me dit mais de sentir son souffle. Je voudrais déjà être à ce soir pour appeler Marilyne et lui raconter ce qu'il m'arrive. Oui, mais quand ce sera le soir, je

quitterai Seb. Oui, mais je le retrouverai le lendemain. Et les autres jours.

— T'as pas ton bouquin ?

Ça doit être une habitude parisienne de poser sa
main sur celle de l'autre quand on lui parle. En tout
cas, je sors de mes rêves, toujours aussi nuls dès que
je me sens fondre pour quelqu'un. Je me penche et
je vais prendre mon livre dans mon sac.

— C'est la page 16, Zoé, il me souffle à l'oreille.

J'ai l'impression que tout le monde me regarde
et je rougis. Mes mains sont moites. Mon cœur bat
à son rythme de crétin. Je plonge le nez dans mon
livre.

2

— En résumé : il est pas comme les autres !

Jusque-là, Marilyne m'a écoutée sans rien dire, mais cette fois, elle souffle dans le téléphone. Un long soupir énervé et perplexe.

— Parce que tu en as connu d'autres ?

— Ben non ! C'est juste une impression.

— Remarque, tu es peut-être bi !

— C'est quoi ça ?

— Quand on aime à la fois les filles et les garçons.

Le mal de ventre que j'ai depuis l'après-midi s'affole. Je m'écrie :

— Mais alors, c'est ce que je disais avant : je suis pas normale.

— Ah non, tu vas pas recommencer avec ça ! Tu vires ta cuti, ça peut arriver à tout le monde.

— Ma « cuti » ? Qu'est-ce que tu racontes aujourd'hui ? Je comprends rien.

— Ça veut dire que tu te croyais homo et qu'en fait tu es hétéro. À ton âge, tout est possible…

Je n'ose plus poser d'autres questions parce qu'elle vient de pousser à nouveau un soupir énervé et que je suis complètement perdue. Je raccroche en ayant carrément envie de vomir. Je sens que Marilyne m'en veut et je m'en veux aussi, moi qui ne serais peut-être qu'une Nina ou une Albertine : une fille qui faisait ses gammes en attendant l'Aaamouououour avec un garçon !

Résultat : j'attends impatiemment que ma mère rentre. J'aimerais bien aussi que mon père vienne manger avec nous. Qu'on soit ensemble comme avant. Mais cette envie-là, je me la garde. Je mets le couvert et j'ai l'idée de préparer une salade. Pour me calmer et pour faire plaisir à ma mère.

En découpant les tomates en petits cubes, je repense à Seb. À la façon qu'on a eue de se dire au revoir, sans roucoulade et avec quatre bises. Je ne peux pas m'empêcher de sourire à mon saladier en le réentendant me dire : « À demain, Zoé. C'est fun que tu sois dans ce bahut ! »

À ce moment-là, j'entends la clé tourner dans la porte et je me fais un peu l'impression du naufragé qui voit arriver un bateau.

— Je suis là! je braille. Dans la cuisine!

Normalement, quand ma mère rentre, je suis toujours dans ma chambre. Je l'imagine poser son sac en se demandant pourquoi je n'y suis pas, prête à me faire la morale au cas où j'aurais décidé de manger sans elle ou de me goinfrer de chocolat juste avant le repas. J'écoute ses pas qui approchent, fière d'avoir eu cette idée de repas, impatiente de voir sa tête quand elle va entrer.

— Ah ben ça alors!

Elle est à peu près comme une gamine devant un sapin de Noël. Amusée et de plus en plus fière, je lui fais un clin d'œil appuyé.

— Pas mal d'avoir une cuisinière à domicile, non?

Elle vient m'embrasser dans le cou, comme lorsqu'elle est heureuse, puis elle prend un couteau pour m'aider.

— Non, non, va t'asseoir!

— Mais qu'est-ce qui se passe? On fête quelque chose?

Je hausse les épaules:

— Ma rentrée peut-être.

Et, sans attendre, je me lance dans ce que je meurs d'envie de lui raconter: Seb, Seb, Seb.

— C'est la première fois que tu me parles d'un garçon, elle me coupe finalement.

Puisque ma salade est prête, je ne peux pas rester trop longtemps sans venir m'asseoir en face d'elle ou, au moins, me retourner. Pourtant, je sais que j'ai un peu rougi.

— Normal à mon âge, tu crois pas ? j'arrive à dire en posant la salade sur la table.

— Justement ! Je commençais à me poser des questions à force de t'entendre toujours parler de Nina !

Je me sens rougir encore plus. Je suis à deux doigts de lui demander si elle sait pour Marilyne. Je serais presque prête à tout lui raconter pour moi. Pourtant, je me reprends. Ça ne servirait à rien de parler d'un passé qui, peut-être, n'est plus.

— T'as pas de souci à te faire. Je suis pas homo si c'est ce que tu veux dire.

— Remarque, j'ai rien contre. Mais ma fille, ce serait différent.

Je lui prends la main et je la caresse du bout des doigts.

— Et moi ? Je peux te dire aussi un truc que je voudrais te dire depuis longtemps ?

Elle fait un signe de tête pour me répondre que

oui, bien sûr, c'est évident: je peux parler de tout ce que je veux.

— Je trouve que tu es bien plus belle sans maquillage. Et que tu devrais te trouver un petit copain.

Elle sourit.

— Tu veux me marier?

— Le mariage, je sais pas. Mais tu es jeune, tu pourrais refaire ta vie!

Je ne sais pas vraiment pourquoi je lui parle de ça. Au début, c'était pour changer de sujet. Sauf que, avant ce soir, je n'y avais jamais réfléchi.

— Si je venais ici avec un homme, ça te ferait rien?

— *I am ready!*

Je fais un immense sourire puis, comme on a terminé notre salade, je me lève pour débarrasser la table. Ma mère est derrière moi, encore assise, songeuse, je suis sûre.

— Tu as grandi sans que je m'en aperçoive… J'étais trop préoccupée par les histoires avec ton père.

Les mains dans les assiettes, je ne réponds pas. Je suis en train de penser à Seb, qui est super bon en maths. J'ai envie de lui faire lire tous mes livres, de lui faire écouter *La Passion selon saint Matthieu* que j'ai acheté dès mon retour, même si je ne sais pas s'il aimera parce que, c'est sûr, c'est loin d'être fun!

— Tu as entendu ce que je t'ai dit?

— Excuse-moi: je rêvais.

— Tu as raison: pense à ton Seb. Il y a rien de mieux que l'amour.

Je la sens seule et triste à ce moment-là. Si bien que je m'essuie les mains, que je me retourne et que je la fais se lever.

— Suis-moi!

Ce soir, j'ai des idées qui me viennent comme ça, subitement. Je la conduis jusqu'à ma chambre et je vais me planter devant mon armoire.

— Aide-moi à me faire des tenues! Il faut que je sois la plus belle du collège.

Je sors tout ce que j'ai et je le lance sur mon lit.

— T'inquiète: je rangerai tout après!

Mais elle n'est pas du tout inquiète. Les mains dans le tas, elle trie déjà, me tend un haut, une jupe, un jean. J'essaie. J'enlève. J'essaie encore. On fait des grimaces de dégoût. On lance des «Ça, c'est super». Chaque fois, on est d'accord sur les mêmes choses, on dit: «C'est drôle», et on continue de plus belle. Jusqu'à ce qu'il n'y ait plus rien et qu'on se retrouve toutes les deux assises sur un bord de lit, essoufflées.

— Demain, on fera pareil avec toi! je suggère.

— Et pourquoi pas ce soir?

Elle file dans sa chambre, fait coulisser la porte de sa penderie qui fait miroir et sort cinq ou six tenues, surtout des tailleurs. J'en choisis un qu'elle enfile. Puis je la regarde qui se regarde.

— Tu as vu comme on se ressemble?

On a dit la phrase en même temps. Du coup, on éclate de rire.

— Oui, mais pas des cheveux.

— C'était la grand-mère de ton père qui frisait. Tu lui demanderas qu'il te montre une photo.

— Oh! je m'en fiche. Pour l'instant, ce que je veux, c'est un verre de grenadine.

Je pars dans la cuisine. À un moment, j'ai un petit pincement au cœur parce que je me demande si Marilyne sera encore mon amie. Finalement, je hausse les épaules: puisqu'elle est copine avec ma mère, pourquoi elle ne le serait pas avec la nouvelle Zoé?

3

Très vite, j'ai vu que Seb avait un point commun avec moi : les habitudes. Tous les matins, il arrive à la même heure ; à chaque pause, il prend un café long sans sucre ; à la cantine ou dans les salles de cours, il a sa table préférée ; mais le top, c'est qu'il fait tout ça avec moi, qu'il ne regarde aucune autre fille et qu'il ne cherche même pas à se faire des copains. Si ma grand-mère nous voyait, je sais déjà comment elle nous appellerait.

— Tu viendrais au ciné demain ?

Il est accoudé à la machine à café, tranquillement, sans se rendre compte que, s'il venait de me demander en mariage, je ne serais pas plus chamboulée : jamais encore on avait parlé de se voir en dehors du collège.

— T'es dans la lune, ma **Zoé** ?

«Ma» Zoé. Il a pris cette nouvelle habitude

depuis quelques jours et je fonds chaque fois qu'il le dit. Alors, la demande en mariage plus ça, je me sens flaque de Miko sous les tropiques et je n'arrive pas du tout à lui répondre, un peu comme la première fois que je l'ai vu. Heureusement, puisque mon gobelet est vide et que la poubelle n'est pas exactement à côté, je m'éloigne de quelques pas. L'idée, c'est que je retrouve mes esprits le plus rapidement possible, parce que les scènes Nina-Albertine où je me retrouvais muette comme une carpe pendant un temps infini, c'est terminé pour de bon !

— Tu vas voir quoi ?

Ouf ! J'ai pu poser ma question en revenant et en allant attraper mon sac.

— Un film avec Belmondo et Jean Seberg. De Godard, tu connais ?

Je secoue la tête pour dire non.

— Je suis sûr que ça te plaira.

Je ne demande pas pourquoi. Je dis plutôt que je viendrai si mon père est d'accord. En réalité, je pourrais dire oui tout de suite parce que mon père sera trop heureux de me savoir invitée par un garçon. Mais comme, le soir, il y a une réunion de femmes chez ma mère, je veux prendre le temps de leur en parler, pour qu'elles me donnent les mille et une petites astuces de la sortie au cinéma avec un garçon.

— Tu me donneras ta réponse demain matin alors?

Il me regarde fixement, sans sourire. Et parce que j'ai déjà eu ce regard-là, je sais qu'il attendra ma réponse avec impatience, qu'il y pensera chaque minute sans pouvoir s'en empêcher. Je me dis même que, peut-être, les garçons aussi ont peur et que, pour m'inviter, il a dû s'entraîner devant sa glace.

— Si tu veux, je t'appellerai ce soir, d'accord?

— Trop fun, c'est OK!

Maintenant, je trouve qu'elle lui va bien, cette expression. Et puis j'aime ses mains, longues et fines, comme son visage, comme ses jambes. J'aime quand il parle aussi. Pas sa voix comme Albertine, mais ce qu'il pense, des cours, des profs, de la vie. J'aime quand on se sourit, là, en partant à notre cours de latin, avec notre rendez-vous douillettement calé en nous.

Le soir, les copines de ma mère arrivent à la queue leu leu. Ça n'arrête pas de sonner et, chaque fois qu'on ouvre la porte, c'est pour que ma mère reçoive une bouteille de vin, un bouquet de fleurs, des chocolats… On s'embrasse à n'en plus finir, on rit de se retrouver. Et quand Véro arrive avec Marilyne, c'est l'apothéose. Depuis le jour où je lui ai parlé de Seb, on s'est téléphoné deux ou trois fois, mais pour échanger des banalités. Elle disait qu'elle ne m'en voulait pas, qu'il fallait juste qu'elle digère. En la voyant à la porte, j'ai su qu'elle avait digéré.

Après qu'on s'est embrassées, à bout de bras, elle m'inspecte. Puis elle me souffle à l'oreille :

— Un type qui t'a fait oublier les filles en un clin d'œil et qui t'a donné des yeux aussi brillants, ça doit être quelqu'un de bien.

Bras dessus, bras dessous, on entre toutes les deux au salon. Les copines de ma mère sont déjà installées, un verre ou une cigarette dans une main, une part de quiche dans l'autre. Ça parle dans tous les sens, ça vibre de joie, de vacances, d'histoires de rencontres. Je m'assieds entre ma mère et Marilyne, me sentant aux anges.

Je n'ai plus envie de parler de Seb et du cinéma. Je suis bien comme ça, à les écouter, à les regarder. Je suis fière de ma mère parce qu'elle est au centre du groupe et parce qu'elle est belle. Je ne sais pas si c'est grâce à moi, mais elle se maquille moins et elle est de plus en plus décontractée. Alors, sans rien dire à personne, à un moment je me lève et je vais appeler Seb.

Sur le combiné, mes mains tremblent. Pour la voix, je ne me rends pas vraiment compte, mais je crois que je ne bafouille pas trop. Lui, je savais qu'il dirait : « Trop fun ! » et il l'a dit. Par contre, ce que je n'avais pas prévu, c'est qu'il ajouterait : « Parce qu'un week-end sans toi, tu sais, c'est plus possible. »

L'avantage du téléphone, c'est qu'on peut rougir et se dire des choses qu'en face on n'oserait pas se dire. J'ai donc rougi comme je voulais et j'ai pu lui répondre : « Moi aussi, j'ai hâte. » Puis j'ai raccroché et je suis retournée auprès des femmes, en gardant mon secret.

4

C'est mon père qui m'a déposée devant le cinéma. Je suis descendue en faisant claquer la portière négligemment, au cas où Seb serait déjà arrivé et me verrait. Toute la matinée, je me suis préparée. Ma mère m'a fait un maquillage discret. J'ai mis un tee-shirt noir et, pour la première fois, une jupe. Avec des collants et des bottes, je me sens aussi bien qu'en pantalon.

— Salut, ma Zoé!

J'étais sûre qu'il serait en avance. Heureusement, mon père a déjà démarré. S'il l'avait vu, il aurait voulu lui parler et je n'ose pas imaginer ce qu'il aurait pu lui dire. Avec mon père, j'ai tendance à me méfier parce qu'il croit que tous les hommes sont comme lui: à aimer raconter n'importe quoi sur les femmes.

Je me retourne sans trop me presser. Je fais dans le genre film au ralenti. C'est un nouveau truc que j'ai trouvé pour m'en sortir quand je rougis.

— Salut, ça va?

Comme s'il me voyait pour la première fois et comme Marilyne la veille, il me regarde de la tête aux pieds.

— Qu'est-ce que t'es belle en jupe!

Vu que je suis en face de lui, c'est loupé pour qu'il ne me voie pas rougir. J'opte pour la technique «J'ai quelque chose à chercher dans mon sac» si bien que, pendant quelques secondes, je peux éviter son regard. Je sors un paquet de chewing-gums que je lui tends. Il en prend un, puis c'est moi qu'il prend par la main.

— Viens! On peut entrer tout de suite: j'ai acheté les billets.

— Mon père m'a donné de l'argent pour ma place, tu sais!

— C'est un cadeau, tu veux bien?

Comme je me prépare à rougir encore, je baisse la tête et je me tais. Je le laisse me guider jusqu'à la salle, au fond d'un couloir à tapis rouge. Mais plus j'avance, plus je me sens mal. Dans la salle, les choses ne s'arrangent pas puisqu'il n'y a presque personne.

— Ça te dérange pas si on se met au fond? C'est ma place préférée.

Je fais non avec la tête et puis j'ajoute, pour dire quelque chose, que, pour moi aussi, c'est la meilleure place. Il serre mes doigts dans sa main.

— Tu vois : on a toujours les mêmes goûts tous les deux.

Son visage a des airs de lampion un soir de fête alors que moi j'ai maintenant envie d'être à des milliers de kilomètres de cette salle de cinéma. Pourtant, je me faufile avec lui dans la dernière rangée et on s'assied en plein milieu.

— Là, c'est la place parfaite.

Il sourit, il jubile, il est au septième ciel. J'aimerais être comme lui. Au lieu de ça, je me dis que, décidément, je ne dois pas être très douée pour le bonheur : dès qu'il est là, je vais mal, je veux partir ou je m'arrange pour le casser. L'idée que je ne suis pas normale me reprend et, quand le noir se fait dans la salle, j'ai un défilé d'images dans la tête. Chaque fois, c'est la même chose : je crois avoir tout oublié et je me souviens de tout, des mains de Nina qui me repoussent, de ma course dans la nuit, d'Albertine et de son air de prof… Tout est là et ne demande qu'à sortir. Sur l'écran, les gens ont pourtant l'air heureux.

— Tu as vu comme c'est naze, ces pubs ?

Il m'a parlé dans le creux de l'oreille, comme le jour où il m'avait soufflé : «C'est la page 16, Zoé.» Je m'en veux d'avoir à sortir mon masque de fille cool et tranquille pour lui répondre. J'aurais aimé être moi-même. D'ailleurs, je crois que, **si je lui** disais : «J'ai peur», il me comprendrait. Qui sait s'il ne dirait pas : «Moi aussi.» Et on en resterait là, à notre amitié, à un amour qui commence. Peut-être. Je ne sais plus.

Mais puisque je ne dis rien, Seb ne peut pas savoir. Si bien que, quelques minutes après le début du film, je sens sa main qui s'approche de la mienne et qui caresse le bout de mes doigts. Il les caresse tendrement, doucement. Il est l'homme le plus gentil que je connaisse, celui dont Nina et Albertine rêvent sûrement, sauf que je ne ressens que des frissons désagréables. Ce sont leurs mains à elles qui me hantent. Leurs bouches qui me manquent tout à coup.

C'est peut-être pour cela, parce que j'ai envie d'un baiser, que j'ose tourner mon visage vers celui de Seb. Dans le noir, je distingue ses beaux traits qui m'émeuvent encore, et, lorsqu'il approche ses lèvres des miennes, un instant, je suis heureuse. Pourtant, lorsque nos langues s'emmêlent, je me raidis. Je deviens froide et lointaine. Je suis dans une autre bouche.

Avant qu'il ne les voie, j'aimerais essuyer mes imbéciles de larmes. Déjà, pourtant, il m'enlace et me serre. Déjà, dans le noir, il me demande ce qui ne va pas. Comment lui répondre ? Comment ne pas lui faire le mal que Nina et Albertine m'ont fait ?

Je dis que tout va bien, que je suis seulement troublée, et il me serre un peu plus fort, heureux sans doute de ma sensibilité de fille. Moi, je sais que demain, bientôt, je lui parlerai. Quels mots je trouverai ? je l'ignore encore. Pour l'instant, si j'avais le courage de lui dire ce que je pense, je lui dirais : «Grâce à toi, j'ai vraiment compris que ce sont les filles qui me plaisent.» Mais je me concentre sur l'écran, parce que Jean Seberg est vraiment un canon.